デジタル時代の著作権【目次】

# 序章 なぜ、今、著作権なのか

## †身近になった著作権

近年、著作権の分野ではいろんなニュースが溢れています。

中学生が、マンガをアニメの動画ファイルにしてインターネット上に公開し、逮捕された、というニュースもあれば、グーグルが世界中の本をスキャニングして検索するサービスを提供する、といって世界中を騒がせたこともあります。そういえば、日本では検索サービスって著作権法違反かもしれない、という話を数年前に聞いた人もいるでしょう。

有名な漫画家の松本零士《れいじ》さんが、歌手の槇原敬之《のりゆき》さんに対して、自分のマンガ『銀河鉄道999』のセリフと槇原さん作詞の「約束の場所」の歌詞が似ているから盗作だと訴えて裁判になったこともありました。松本さんの「時間は夢を裏切らない　夢も時間を（決して）裏切ってはならない」というセリフが、槇原さんの「夢は時間を裏切らない　時間も夢を決して裏切らない」という歌詞と似ている、というのです。槇原さんは、盗作ではないと言って逆に松本さんを名誉毀損で訴え返しました。確かに似ている気もしますが、結局、裁判の結果、盗作（著作権侵害）ではない、ということになりました。こんなニュースを見ながら、著作権法ってよく分からないな、と思う人も多いかもしれません。

一方、毎日のように、新しいデジタル機器が発売され、日に日に速く、小さく、賢くなっています。テレビも完全デジタル化されることになり、見逃したテレビ番組もネットをちょっと検索すればどこかで見ることができることも多い。便利になったなぁと思いながら、ふと、これってもしかして違法なのかな、なんて不安になったりする。新聞がパソコンや携帯で読めるようになり、朝の満員電車で揺られながら、縦二つに大きな新聞を折り曲げて片手に持つビジネスパーソンの姿を見ることも少なくなりました。かわりに携帯電話とにらめっこする人の姿も増えました。

会社に着けば、仕事の開始です。今日は、上司から頼まれていた調べものを報告する日だった。あの上司は几帳面だから、ちゃんと裏付け資料もコピーして準備しておかないと、と思いながら資料のコピーをとる。無事にミーティングを切り抜け、ほっと一息つきながらお昼に法務部の同期とランチをしていたら、なんでも、今、日本版フェア・ユースというのを立法するかどうかが話題になっていて、わが社でもパブリック・コメントを出さないといけないということで準備している、という話を聞く。少部数の社内コピーはフェア・ユース規定で合法になると期待していたのに、文化庁は今回はそのあたりの立法は見送るなんて言っている、困ったなぁと同期がこぼし、それを聞いて自分はびっくりする。え、社内で資料をコピーするのって、もしかして、著作権違反なの？

私たちは毎日、意識しない間にも、何らか、著作権に触れているのです。日常には、コンテンツもデジタル機器も溢れていて、新しいサービスもどんどん生まれてきています。機器やサービスを提供する企業も、日々これらの機器やサービスを通じてコンテンツに触れる私たちも、何らかの形で著作権が関わっているという認識はあっても、その問題が結局何なのか、どう考えればいいのか、体系的に理解する機会がないと、これらの断片的なニュースや出来事が一つのまとまりとしては理解しづらいかもしれません。

また、少し著作権法を勉強したことのある方は、どうして著作権法はこんな内容になっているのだろうかと疑問に思うことを幾つもお持ちかもしれません。けれども、これらのいろいろな問題も、人間と情報のあり方、コンテンツのクリエーターとユーザーのバランス、そして著作権制度のなりたちといった視点で眺めてみると、意外と幾つかの共通した根本問題から発生してきていることが分かります。

そこで、この本では、いろいろな著作権の問題や現状を、できるだけ著作権の基本的な枠組みや考え方に立ち返って眺めることで、皆さんの疑問に少しでもお答えし、また、これからの著作権制度を考えるきっかけを提供したいと思っています。

## †王様のたとえ話にみる著作権の問題

具体的な著作権の問題に入っていく前に、一つ、たとえ話をご紹介したいと思います。

著作権の根本問題の一つは、このたとえ話に象徴されていると思うからです。単純なお話を読むと、何が問題なのか、分かりやすいものです。皆さんも、たとえ話を読みながら、何が問題なのか、自分なら状況を改善するためにどうするかを考えてみてください。

昔、あるところに、ひとりの王様がいました。

王様は、その二〇年の在位期間中に、さまざまな方面の法律の整備を行いました。出来上がった法はいずれも素晴らしく、国は平和になり、国民は皆とても幸せでした。

しかし、王様には、一つだけ、不安があったのです。それは、次期王となる、一人息子のことでした。王子は、心根のよい青年でしたが、あまりに素直すぎるのが欠点でした。父である王様が普段、どれほどの知恵を使って対立する利益のバランスを取っているのか、王子はあまりよく分かっていませんでした。自分がいなくなり、息子が王となったとき、国はどうなるのか。王様にとってはそれが不安の種でした。

そして、数年後、その不安は現実のものとなったのです。王様は病を得て長期療養をせざるを得なくなり、一時だけ、息子を国王代理としたのです。早速、普段は滅多に王宮に姿を見せない多くの商人たちが次から次へとご機嫌伺いに馳せ参じ、それぞれに腕自慢の品物を抱えて王子の前に列をなしました。もちろん、彼らは、品物を披露して、いかに自分たちが王子を心から敬っているかを長々と述べた後に、自分たちのお願い事を切実な顔で訴えることも忘れなかったのです。

単純な王子は、税金がいかに国民の暮らしに負担となっているか、幾つかの商品に対して課せられている規格が厳しすぎることで多くの商人がいかに苦労し損をしているか、といったことに強く心を揺さぶられました。そこで王子は、三晩かけて法律の改正草案を作り、病床の王様にそれを見せに行きました。

病床の賢い王様は、息子の草案を頭ごなしに否定することはしませんでした。そのかわり、現在の国の仕組みを維持するためになぜ一定額の税金が必要なのか、消費者でもある国民を守るためになぜ商品の規格を守らせることが重要なのかを息子に説明しました。王子は目に涙をため、うなだれて部屋を出ていきました。

その後ろ姿を見ながら、病床で、賢い王様は考えました。息子の優しく素直な性格は、これから仇《あだ》になるかもしれない。目を閉じれば、百戦錬磨の多くの商人たち、隙あらば自らの利益を守り増やそうとする貴族たちの顔が次々に思い浮かびます。彼らの手にかかれば、息子を騙すことなどそれほど難しくないだろう。なんとか、息子を、そしてこの国の繁栄を守らねば、と王様は強く思ったのです。

そこで、王様は、息子に王位を譲る前に、一つの法律を作りました。それは、元老院の全員の一致がない限り、現在の法律を変えることはできない、という法律です。元老院に所属する貴族たちの利益は鋭く対立しています。全員の意見が一致するというのは、よほどの場合でなければ実現しないでしょうし、そのような場合には、本当に法律を変える必要性があるのだと、賢い王様も思うことができたのです。数カ月後、王様は安堵のもとに息を引き取りました。そして、実際に、この王様の国の法律は、王様の死後一〇〇年以上、変えられることがなかったのです。

一〇〇年後、この国は、周辺でもっとも古い法と慣習を持っている国となっていました。国民は、かなり前から、古臭い法律に疑問を持つようになっていました。特に、経済活動の状況が大きく変わった現在では、税法の仕組みも全く非効率となり、民法や商法も、次々に発展し変化していく商取引に全く対応できていませんでした。裁判官も役人も、法律の解釈をいろいろと工夫して法律を現代の社会に合わせようと工夫をしていましたが、時にその解釈は、滑稽に映るほど無理なこともありました。

仮に、読者のみなさんが一〇〇年後のこの状況で、この国の政治家からアドバイスを求められたら、どう答えるでしょうか。

おそらく、一〇〇年前の法律は、その時代にはとても良いものだっただろうけれど、どんなに良い法律でも、一〇〇年も経てば古くなり、無理が出るのは当然だ。新しい社会に合った法律に直したほうがいいのでは、と答えることでしょう。どのように直せばいいか、と考えるにあたっては、様々な利害があり、いろいろな考慮が必要でしょう。それは難しい作業かもしれません。しかし、だからといって、今のままでよいとアドバイスする人はいないのではないでしょうか。

まさに、著作権法は、今こんな状態だといっても過言ではありません。第二章で詳しくお話しするように、著作権法の根本問題の一つは、一〇〇年以上前に決めた法律の枠組みが古くなり、次第に今の社会で無理が生じているのに、これを変えずに維持しなければならない、と定められていることにあるのです。

では、著作権法の内容はどんなものなのか。どうしてこの王様の国のようになってしまったのか。これからどうすればいいのか。そして、これからの著作権を考えるときに、どんな視点で考えればいいのか。それを、これから順番に見ていきたいと思います。

### †この本の構成

第一章では、現状の著作権の基本的な仕組みをご紹介します。あまり法制度の細かいところに入り込まず、大きな視点から、全体像が把握できるように心がけたいと思います。

次の第二章では、著作権制度がなぜ今の形をしているのか、歴史を振り返りながら考えてみます。そして、デジタル・ネットワーク技術の普及した二十一世紀、著作権制度が直面している問題とその原因について考えてみます。

第三章では、間接侵害という問題を取り上げます。音楽や動画などのコンテンツをネット上で交換する人たちが使っていたウィニー（Winny）というソフトウェアの開発者が逮捕された事件をご存知の人も多いでしょう。なぜ、コピーをする人だけでなく、そのコピーのための道具を作った人も著作権違反になるのでしょうか。その考え方をご紹介しつつ、日本と米国での著名な事件を眺めてご一緒に考えてみましょう。

第四章では、今の著作権制度が、これからどこへ行こうとしているかを眺めます。著作権制度を動かす国際力学、そして、デジタル・ネットワーク技術の荒波に揉まれているコンテンツ産業が「目には目を、デジタルにはデジタルを」ということで導入した、デジタル技術を使った著作権保護技術（DRM）にまつわる教訓について考えます。

第五章では、科学の世界の著作権に目を向けてみましょう。いわゆる、エンターテインメント・コンテンツ産業の著作権とは違った政策的な配慮が求められている科学の世界で、日本の抱えている課題について考えます。

そして、第六章では、今の著作権制度の中で、私たちができることについて考えます。

特に、今議論されている日本版フェア・ユース規定がなぜ必要なのか、そして、次第に重要性の増しているライセンスというツールについて考えます。

最終章では、これからの著作権制度のあり方を考える上で、私が重要だと思っている幾つかの視点をご紹介します。


著作権制度は、とても悩ましく、そして面白い法律です。刻々と変化する技術の中で、情報流通のあり方も無限に進化する可能性を秘めていますし、人が情報を産み出し消費していくあり方もどんどん変わっています。そんな中で、技術の進歩の恩恵を最大限に楽しみながら、文化を豊かにしていくには、著作権制度をどうすればいいのでしょうか。そして、人間と情報や知識との関係はどうあればよいのでしょうか。

それは、ある意味、終わりのない問いです。その、面白く悩ましい問題の本質に迫って、少しでも、皆さんが著作権制度を考える上でのご参考になれば、と思います。

第一章

# 著作権が保護するもの

最初に、現在の著作権法の基本的な仕組みを見ていきましょう。著作権法が何を保護しているか、という保護の対象を見て、次に、保護されている作品（著作物）に与えられる権利を概観します。その後、著作権の規制が及ばないとされている幾つかの例外をご紹介しましょう。

## †著作権は事実とアイディアは保護しない

著作権の大原則として、「著作権は事実、アイディアは保護せず、表現のみを保護する」ということがあります。例えば、この地域にこんな珍しい生物がいるという事実や、著作権制度をこのように変えたほうがよいというアイディアは、実は著作権では保護されません。それを論文に書きますと、当然、論文は著作権の保護の対象になるのですが、その保護は、その事実やアイディアをどういう構成で、どのような文言を使って表現したか、というところに与えられるわけです。したがって、同じ事実やアイディアを他の表現を使って書いた論文は、たとえ他人の見つけた事実やアイディアを書いたものであっても、著作権侵害とはならないのです。

これはどうしてかと言いますと、例えば報道機関のことを考えていただければ分かります。私が非常に腕の立つ記者だとします。あるとき、「首相がこんなことをした」という特ダネニュースを取ってきて、新聞の一面に大きく書きました。そうすると、多分その日の夕方には、あらゆる夕刊に載ったり、テレビで報道されたりするでしょう。このように事実を広く紹介できるようでなければ、知識の共有は進んでいかないわけです。

ですから、私が最初に特ダネをつかんで、それを最初に記事に書いたからといって、その事実を他の人が表現するのに、全員が私のところに来て承諾を取らなければいけないというのでは世の中が回りません。そこで、事実やアイディアは著作権で保護しない、誰かに独占させないということが、著作権の非常に重要な原則になっているのです。

## †創作性

もう一つ、著作権法で保護されるために重要な原則に、「創作性」という考え方があります。著作権法は、「思想又は感情の創作的表現」（法二条一項一号）を保護するもので、創作性のない表現は、たとえ表現であったとしても保護しない、ということです。

創作性があるというのは、どういうことでしょうか。これには、いろいろな考え方があるのですが、私が個人的に分かりやすいと考えている説明は、表現パターンが何通りあるか、というものです。例えば、一つのアイディアが頭の中に浮かんだとします。これを表現する表現方法は何通りあるか。例えば二〇人が表現すれば二〇通りの表現方法がある、一〇〇人いれば一〇〇通りあるというのであれば、その一つ一つに創作性があるということになります。逆に、どんなにがんばっても数通りしかないのなら、その表現には創作性がない、ということです。

具体例を見てみましょう。吾輩は猫である。この文章を見ると、きっと、日本人の誰もが「あ、夏目漱石だ」と思うことでしょう。では、「吾輩は猫である」は著作物でしょうか。おそらく違うと私は思います。

この文章のアイディアは、「私」という存在がいて、「猫だ」と言いたい、という点にあります。では、私は猫だということを表現する方法は何通りでしょうか。主語になるのは、「わたし」「わたくし」「あたし」「僕」「俺」「吾輩」など、数通りしかないでしょう。また、「猫」は「猫」ですから、あまり工夫の余地がありません。あとは「だ」か「です」か「である」かを組み合わせるだけです。組み合わせは自ずと限られてしまいます。

これらの単語は、皆が日常的に使っています。それなのに、このような単純な表現に著作権を与えるとどうなってしまうでしょうか？　誰かがその短い表現を独占することになってしまい、他の人が同じ表現を使うときには、いちいち権利者に許諾を取らなければならないことになってしまいます。そうすると、日本人の十何番目の人が「私は猫だ」ということを表現しようとすると、誰かの許諾なしには話せなくなってしまう。そんなことをすると社会は混乱してしまいます。したがって、誰もが使うもの、誰が考えても似たような表現になるものは、誰にも独占させないことにする、という原則が作られたのです。

実際に、創作性があるか？　ということは、時々訴訟で争われます。実例を見たほうがイメージがわきやすいと思いますので、幾つかご紹介しましょう。ラストメッセージin最終号事件という事件があります。この事件では、Y（被告）は、Xら（原告）が発行していた各種雑誌の最終号の表紙や、休廃刊に際して編集部から読者宛に書かれた文章などを複製して『ラストメッセージin最終号』という書籍を発行しました。これに対し、Xらは、この書籍において文章を複製した行為はXらの著作権を侵害すると主張して、この書籍の出版差し止めと損害賠償を求めたのです。

裁判所は、「誰が著作しても同様の表現となるようなありふれた表現のものは、創作性を欠き著作物とは認められない」と原則を示した上で、次のように判示しました。ここに引用してみましょう（ちなみに、ご存知の方も多いかもしれませんが、判決文には、日本ではそもそも著作権がありません。広く国民が知ることが必要だから、という趣旨なのでしょう）。

当該雑誌は今号限りで休刊又は廃刊となる旨の告知、読者等に対する感謝の念あるいはお詫びの表明、休刊又は廃刊となるのは残念である旨の感情の表明が本件記事の内容となることは常識上当然であり、また、当該雑誌のこれまでの編集方針の骨子、休廃刊後の再発行や新雑誌発行等の予定の説明をすること、同社の関連雑誌を引き続き愛読してほしい旨要望することも営業上当然のことであるから、これら五つの内容をありふれた表現で記述しているにすぎないものは、創作性を欠くものとして著作物であると認めることはできない。

つまり、誰もが同じ状況に置かれたら当然に書くだろうと思われることは、独占させることはできない、ということなのです。実際に、以下の文章には著作権がないとされました。

**【著作物性が否定された実例①】**

『(雑誌名)』は今号で休刊といたします。ご協力いただきました○○学会はじめ執筆者の方々、ご愛読いただきました読者の皆様に厚く御礼申し上げます。

**【著作物性が否定された実例②】**

「（雑誌名）」休刊のお知らせ

小誌は、昭和〇〇年四月号に野菜と健康の情報誌「（雑誌名）」として創刊し、その理念に多くのかたがたより深いご賛意と共感をたまわり、厚いご支援の中で現在に至りました。

しかしながら、このたび突然ではございますが、諸般の事情により本号（四月号）をもちまして休刊の止むなきに至りました。

創刊以来五年の永きにわたりご愛読いただきました読者の皆様、またお力添えをいただきました諸先生に、ここにあらためまして心より御礼もうしあげますとともに、不本意ながら休刊の運びとなりましたことを、深くお詫びいたします。

いずれ、再スタートの機をかたく心に誓う所存でございますので、なにとぞ事情ご賢察のうえ、ご理解たまわりますよう伏してお願いもうしあげます。

否定された実例①は、比較的シンプルで短いものなので、著作権がないということもすんなり理解できます。しかし、否定された実例②は、かなり長い文章です。普通は、「吾輩は猫である」のように短い文章には著作権がなくても、短い文章が重なってひとまとまりになれば、その順番や組み合わせに多数のパターンが発生するので著作権が発生しやすくなる、と言われるのですが、それでも実例②は著作権がないとされました。おそらく、状況に照らすと、文章の組み合わせや順番なども限定されるから、という理由でしょう。著作権を専門にする弁護士の間では、このあたりが限界例ではないかと議論されています。

序章でご紹介した、松本零士さんの「時間は夢を裏切らない　夢も時間を（決して）裏切ってはならない」と、槇原敬之さんの「夢は時間を裏切らない　時間も夢を決して裏切らない」が裁判で争われて、著作権侵害ではないと判断されたのも、お互いにあまりに短い表現だからだ、といえるでしょう。

## †フォントに著作権はあるか

もう一つ、面白い実例として、文字のフォントの事件を見てみましょう。文字は、社会の共通財産ですから、誰かに独占させると混乱することは眼に見えています。では、その文字にデザインをほどこしたものはどうでしょうか？　いわゆるフォントと言われるものですが、これを開発するのには、かなりの費用と工夫が必要だと言われています。そこで、以下にあるような「ゴナU」「ゴナM」という名称のフォントを開発した会社が、「新ゴシック体M」「新ゴシック体L」という、とても似たフォントをリリースした他の会社を著作権侵害で訴えたのです。

見比べてみると、確かに二つのフォントは、お互いにとてもよく似ています。しかし、結果は、原告が負けました。この訴訟は最高裁まで争われたのですが、最高裁は以下のように判断しました。

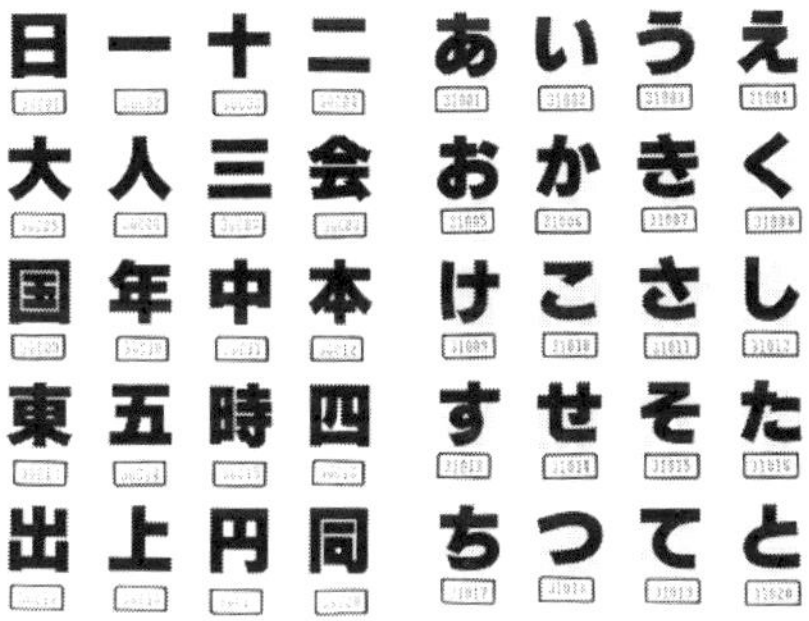

ゴナU（原告）

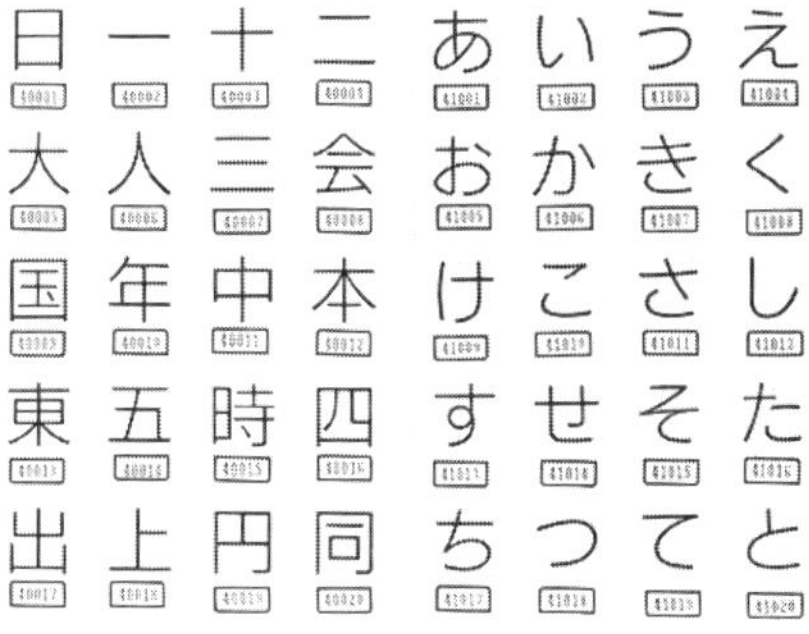

ゴナM（原告）

まず、最高裁は、印刷用書体（フォント）が著作物に該当するためには、従来の印刷用書体に比べて「顕著な特徴を有するといった独創性を備えることが必要」であり、かつ、「それ自体が美術鑑賞の対象となり得る美的特性を備えていなければならない」と判示して、保護対象をかなり限定しました。その理由として、書体に著作権を与えると、その書

新ゴシック体M（被告）

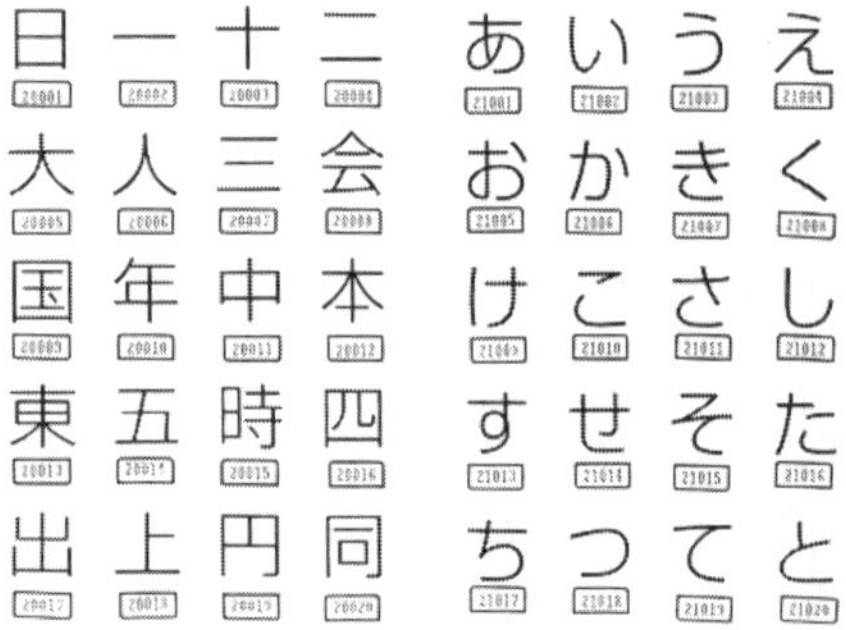

新ゴシック体L（被告）

体を印刷に用いたり、類似の書体を作成・改良したりする際に、常に権利者の許諾が必要になり、「著作物の公正な利用に留意しつつ、著作者の権利の保護を図り、もって文化の発展に寄与しようとする著作権法の目的に反する」からだと判示しています。

また、印刷用書体は、文字という特性から、「必然的にその形態には一定の制約を受けるもの」であるのに、これに著作権を与えると、「権利関係が複雑となり、混乱を招くことが予想される」とも判示しています。

著作権法は、あとでご紹介するとおり、完全なコピーだけではなく、似ている著作物（改変された著作物）についても保護しています。仮にフォントに著作権を与えると、似ているフォントはすべて、先に創作されたフォントの権利者に承諾を取らなければ使えないのか？という問題が生じてしまいます。そうなれば、誰も文字を簡単に使うことができなくなってしまい、最高裁の言うとおり「混乱を招く」ことは明らかなのです。これを避けるために、文字のような社会インフラには著作権を認めないことが重要なのです。

## †ほとんどの作品は著作権で保護されている

ここまで、事実やアイディアは保護されないこと、そして非常に短くて単純なもの、表現パターンが限られているもの、皆が広く使わなければいけないものなどは、創作性がないため著作権では保護されないことを見てきました。

しかし、逆にいえば、それ以外のものにはすべて、著作権がある、ということになります。例えば、富士山の絵を描くとしましょう。または、写真を撮るとしましょう。富士山の絵を描こう、写真を撮ろう、ということはアイディアですから、誰にも独占できません。しかし、その結果描かれた絵は、きっと一〇〇人いれば一〇〇人違う結果になるでしょう。したがって、その一枚一枚には著作権があるのです。上手《うま》いか下手かは関係ない。幼稚園生が描いた絵でも、有名な日本画家が描いた絵でも、等しく著作権があることになります。写真についても同じです。結果としてとても似た写真になったとしても、独立して創作したものについては、すべて著作権が与えられるのです。

では、作った作品が著作物だ、ということになると、その創作者にはどんな権利が与えられるのでしょうか。創作者には、原則として、次のような「著作財産権」と「著作者人格権」が与えられます。

## ●著作財産権

次の行為は、著作権者の許諾がなければ合法に行えないのが原則です。

○複製（紙への印刷の他、サーバ、ハードディスクなどに複製することも含む。機械的

にコピーする場合だけではなく、自分の手でそっくりに書き写した場合も含まれる）

○公衆送信（一対多数の送信をいう。放送の他、送信可能化といって、インターネットのサーバにアップロードして誰でもダウンロードできる状態に置くことを含む）

○翻案（既存の作品を、その本質的特徴を直接感じ取ることのできる状態で改変したりリミックスしたりすること。翻訳、編曲、脚色、小説に基づく漫画家や映画化などがその例。元の作品を換骨奪胎して、その本質的特徴がすっかり消えてしまった場合には、独立の作品として扱われるので、元の作品の権利者の許諾は要らない）

○二次的著作物の利用に関する原著作者の権利（改変・リミックスされたあとの作品を利用するときには、その元となった既存の作品の権利者による許諾も必要になることを定めたもの。例えば、小説Aを基に映画Bができた場合、映画Bの利用にあたっては、映画Bの権利者の承諾だけではなく、小説Aの権利者の承諾も同時に必要になる）

○頒布《はんぷ》（映画の著作物をフィルム、DVD、放送などの形で流通させる権利。初回の流通だけではなく、その後の流通チャンネルをずっとコントロールできる権利）

○譲渡権（映画以外の著作物の複製物を譲り渡す権利。最初に譲渡するときにだけ権利が働き、その後、転売されたり、中古販売されたりするときには権利は及ばない）

○貸与権（レンタル・ショップで貸す場合など）

○上映権（映画館や街頭のプロジェクターで不特定の人または多数の人に対して著作物を見せること）
○演奏権（音楽などを不特定の人または多数の人の前で演奏すること）
○その他、上演権、口述権、展示権など

●著作者人格権
○公表権（自分が創作した作品をいつ公表するかを決定できる権利）
○氏名表示権（自分の作品に自分の実名・ペンネームなどを著作者名として表示し、または表示させない権利）
○同一性保持権（自分の意に反して作品やそのタイトルを変更・改変されない権利）

ご覧のとおり、権利者には、とても多くの権利が与えられていることが分かります。著作権の世界では、このような著作権法に定められている行為を著作物の「利用」と呼んで、単に「使用」する場合（著作物を見聞きするだけの場合）と区別しています。コンピュータや複製機器が広く普及して、インターネット上での情報発信が極めて簡単になった今日、日々の何気ない行為が、実は著作物の「利用」にあたる、ということが頻繁に起こるようになりました。

例えば、自分の思ったことをブログやツイッターでつぶやき、そこに他の人が書いた記事や文章を貼り付けたりすれば、他の人の著作物を公衆送信していることになるかもしれません。ネット上で面白い記事を見つけて、リンク切れになるのが困るので記事ごとコピーしてハードディスクに保存しておくと、複製になりますし、英語の記事を自動翻訳しようと思って、その記事をコピーして翻訳ソフトに貼り付けても、複製していることになるかもしれません。友達から送ってもらった写真を皆に見せたくて、サークルのメーリングリストに投稿すれば、公衆送信になるでしょう。序章でご紹介した会社での資料のコピーも複製です。私たちが、日々何気なくやっていることには、著作物の「利用」にあたる場合がたくさんあるのです。

## †例外規定——私的複製

しかし、日々のどんなに些細な著作物の利用でも、またはとても社会的必要性が高い利用でも、必ず権利者の許諾を取らなければ違法だ、ということでは、さすがに社会が混乱してしまいます。そこで、著作権法では、例外規定というものをおいて一定の軽微な利用や社会的に意義の高い利用については自由にできる、という設計にしています。

そもそも、なぜ例外規定は必要なのでしょうか？　経済学的に見ると、これには幾つかの説明が可能です。一つには、とても些細な利用のために、いちいち許諾を取るのでは、許諾の手間が大きすぎて経済的にバランスが取れない、ということがあります。一方、権利者から見たときには、利用がとても軽微であれば、経済的損害も小さいわけですから、これを認めたところであまり大きな影響はないと言えます。そこで、そのような利用は許諾が不要だと決めておけば、小さな規模の著作物の利用が自由にできるようになる分だけ、社会はより豊かになる、ということができるのです。

このような考え方のもとに定められているのが、例えば、「私的複製」（著作権法三〇条）でしょう。この規定では「著作権の目的となつている著作物……は、個人的に又は家庭内その他これに準ずる限られた範囲内において使用することを目的とするときは、……その使用する者が複製することができる」と定めています。

ポイントは、「個人的に又は家庭内その他これに準ずる限られた範囲内」であること、そして「その使用する者」のみが複製できる、としていることです。つまり、いくら一部コピーするといっても、会社の業務のためにコピーするのは、この範囲には含まれないと言われています。また、家庭内で使用するためであっても、そのコピーを業者に委託してやってもらうのはダメだと言われています。このような制限をかけることによって、複製できる規模に限界を設けて、権利者に大きな打撃を与えないようにしているのです。

同様の配慮から、たとえ個人的または家庭内で使用する目的であっても、三〇条の私的複製には入らないから除外されている場合が他にもあります。まずは、文書・図画専用のコピー機以外の「公衆の用に供されている複製機器を用いて」複製する場合です。したがって、コンビニエンス・ストアに置いてあるコピー機で文書や図画をコピーすることは大丈夫なのですが、例えば、CDレンタルショップの店頭にダビング機が置いてあり、そのダビング機を使ってCDを焼く、というような行為は、禁止されています。おそらく、こうした行為を通じて誰もが大量にCDを複製できるようになると、CD工場とだんだん変わらなくなってしまうからでしょう。

他に私的複製から除外されているものに、著作物に対する「技術的保護手段」、つまり著作物のデータを保護するためにかけられている技術的な制約（暗号化、パスワード・コントロールなど）を回避して行う複製の場合があります。権利者が、自分のコンテンツを守るためにこれらの技術的な手段を使っている場合には、それを受け入れなければいけないということです。これは、一九九九年の著作権法改正で、WIPO（世界知的所有権機関）著作権条約の要求にしたがって導入されたもので、後に第四章でお話しするように、米国の強いロビイングの成果として日本にも結果的に入ってきたものです。

さらに、国内外で違法にアップロードされた著作物をインターネットからダウンロードしてデジタル形式で録音・録画することは、それが違法にアップロードされている著作物だと知っている場合には違法になる、という規定が平成二十一年改正で追加されました。

この規定が入る前は、他人の著作物を無断でアップロードする人はもちろん違法でしたが、そのように勝手にアップロードされた著作物でも、これをダウンロードする人は、個人的にやっている限り、違法ではありませんでした。アップロードする人がいなければダウンロードもできないわけですから、アップロードのところだけ規制しておけば十分ではないか、という判断です。しかし、実際には、違法著作物のアップロードはあとを絶ちません。そこで、権利者が、ダウンロードする人も違法にしてほしいと強く要望した結果、この規定が導入されたのです。

以上、私的複製について、経済的な観点からコメントしてきましたが、その他にも、私的複製には重要な面があります。それは、プライバシーの保護です。思想信条の自由というのは、憲法で保障されている大切な権利です。そして、どんな本を読んだか、どんなコンテンツを見聞きしたか、というのは、思想信条の根幹に関わることです。したがって、家の中でどんな著作物のコピーを作ったか、ということには必要以上に立ち入らないようにすることで、その人のプライバシーを保護する機能も果たしているのです。

## †社会にプラスの効果を生む利用も自由に

もう一つ、例外規定を認める理由には、軽微でなくても「利用を認めたほうが社会にとってプラスの効果がある場合」があります。教育目的での利用、報道目的での利用などがこれにあたります。

例えば、報道の場合を考えてみましょう。ピカソの絵が盗まれたとします。この盗難のニュースを、実際に盗難されたピカソの絵とともに広く報道して、警察の捜査への協力を促すことは社会にとってメリットのあることです。ところが、もしも、ピカソの相続人が、報道であったとしても、高い使用料を払わなければピカソの絵を使ってはいけないと主張したとします。報道局は、実際の絵を入れて報道したいのは山々だとしても、そんな高い使用料は払えない、と判断すれば、その絵を見せて報道することはしないでしょう。

その結果、単に報道局が損をするだけではありません。多くの人が実際の絵を見てそのニュースを深く理解するチャンスを失い、また、警察も、協力者を見つけられないかもしれないという損失を被ることになります。このような損失を避けるために、「時事の事件の報道のための利用」という例外規定があるのです。

教育の場合も同じです。例えば、国語の授業で名作を読ませようと考えたとします。ところが、名作の作者が、教育目的であったとしても、高い印税を払わなければ使ってはいけないと主張すると、学校側は、自分の経済状況に照らして支払えないと判断すれば、諦めてしまうでしょう。しかし、それによって、子供が名作に触れ、日本語の美しさを理解するという貴重な機会が失われてしまいます。

この場合も、名作の権利者と学校、という交渉当事者以外の外部の人（つまり子供たち）に、この名作を利用することによるプラスの効果が発生するのですが、学校はこの子供たちすべてに生じる利益までを計算して著作権料を払うことは、現実にはなかなか難しいのです。このような状況を、経済学では「積極的外部効果」といって、単に当事者どうしの交渉に委ねるのではなく、積極的に政府が介入すべき場合だとしているのです。

この他にも、目的上正当な範囲内で著作物を引用する場合、目や耳などが不自由な方のための利用、最近では電子機器の修理に伴う利用や検索エンジンにおける利用などが同じような理由から例外規定として定められています。

しかし、許諾を得ないで著作物を利用できる場合は、例外規定で認められている本当に限られたごく一部の場合だけです。例外規定が社会で必要または有益な場面をすべて網羅しているわけでもないですし、新しい例外規定が立法されたとしても、その条文は近年、複雑の一途をたどっていて、とても分かりにくくなっています。私は、このように、著作権法が複雑化する傾向にはとても批判的なのですが、そのことはまた第六章でフェア・ユース論についてお話しする中で、詳しく触れたいと思います。

## †裁定制度とその問題

例外規定が、著作権制度における救済措置の一つ目だとすると、二つ目の救済措置として、裁定制度というものがあります。公表された著作物であって、権利者が不明である、などの理由によって、相当な努力を払ってもその権利者と連絡を取ることができない場合には、文化庁に申請して、一定額の利用料を補償金として供託する（つまり国の機関に預ける）と利用できるという、一見、非常に便利そうな制度です。

しかし、そもそも、なぜ権利者不明ということがありうるのか、ということを疑問に思う方もいらっしゃるでしょう。例えば、知的財産権の中で、著作権とよく比較される権利に、特許権があります。特許法では、特許庁という役所があって、そこに特許権を与えてほしい人が出願をして、特許庁の審査を経て、十分に権利性があるものだと認められると特許権が登録される、という仕組みを採用しています。当然、誰の出願がいつ権利として登録された、というリストが特許庁にあるわけです。基本的には、世界中の国の特許庁にこのリストがあるので、データベースを探せば、誰がどんな内容の権利を持っているのか、すぐに検索できるのです。

ところが著作権法については、こういう網羅的なデータベースがほとんど存在していません。その背景には、ベルヌ条約の無方式主義があります。無方式主義とは何か、どうして導入されたのか、については次章で詳しく見ることにして、今は、登録などの特定の手続きを取らなくても、海外で創作された著作物については自動的に（創作行為をしただけで）保護しなければならない、という主義だとご紹介しておきましょう。

この主義のために、著作権については、特許権のように、登録させてデータベースを作る、ということはほとんど行われてきませんでした。例外的に、JASRACのように、特定の著作物についてある程度網羅的なリストを持っている権利処理団体があったり、米国のように、もともと登録に非常に重きを置いていた歴史的背景のある国に、若干登録の習慣があるくらいでしょうか。日本にも、著作権の登録制度はあるのですが、登録しなくても、自動的に著作権が発生して保護されるわけですから、なぜわざわざ登録するんだ、という疑問が当然出てきます。よほど登録しなければいけない特殊な事情（著作権が譲渡されて、その譲渡の効果を確実にしたい、など）がない限り、日本では著作権を登録する権利者はほとんどいないのです。

そうすると、どこにどんな著作物があって、その権利者が誰なのか、誰にも分からない、という問題が発生するわけです。しかも、特許権は、権利を出願してから二〇年という保護期間であるのに対し、著作権は、基本的には、個人の創作者（著作者）の死後五〇年まで保護されるので、死後、著作権の相続が発生することになります。

相続は、ご存知の方も多いと思いますが、全員に均等に相続される場合もあれば、Aさんは土地、Bさんは著作権、というように財産ごとに分けて相続する場合もあり、その分配方法は親戚の内部の話し合いで決まります。したがって、誰が著作権を相続したのかということは、他の人にはなかなか分からないのに、どこにもその記録がない、という問題が発生するのです。

したがって、権利者を一生懸命探しても、分からない場合がある。しかし、分からなければ、どんなに努力しても利用の許諾が取れない。これでは、人の合理的努力の範囲内では、合法的な利用は不可能だということになってしまいます。いくら法律を守れといったところで、不可能を強いるような法律はおかしい。これは経済学的にいうと市場の失敗にあたります。つまり、基本的に市場で交渉をしてライセンスを取りましょうという前提が、そもそも成り立たないケースだということです。そこで、このような場合は、特別に救済してあげましょうというルールが、この裁定制度なのです。

けれども、一方で、許諾を取らなくても、とても簡単に使えるような道ができてしまうと、原則として許諾を取る、というルールはなし崩しになってしまいます。したがって、裁定制度が利用できるのは、例外的な場合に限りましょう、というのが原則です。その考え方はよいのですが、実際には、裁定制度を利用するための要件があまりに厳しすぎて、ほとんど利用されていないのが現状です。

裁定制度の条文では、「相当な努力を払ってもその著作権者と連絡をすることができない場合」と書いてあるのですが、このハードルがとても高いのです。文化庁によると、社会的に見て常識的な方法で探してください、単に時間やお金がかかるとか、探す人の人数が多いというのは、探す手間を軽減する理由になりません、ということなのですが、実際にやらなくてはならないのは次のようなことです。

まずは人名事典、興信録などの名簿・名鑑類を全部見る。二つ以上のネット検索サービスで検索する。JASRACなどの権利者団体にも問い合わせをする。その人の作品を過去に取り扱ったことのある事業者（出版社、レコード会社など）に問い合わせをする。住所や連絡先が分かれば、そこへ連絡を試みる。元勤務先などが分かれば、これらにも照会する。これらをすべてやりなさいといっているのです。ところが、もともとペンネームしか分からなかったり、そもそも名前が表示されていなかったりする場合もたくさんあります。そういう場合には、雑誌、新聞に広告を出しなさい、としていました。しかし、ご存知のとおり、雑誌や新聞に名刺大の広告を出すだけで費用が何十万とかかかる場合があります。著作物の数が多いときには、それを一つ一つやっていたら大変なことになるので、数年前からインターネットでの広告も許可されるようになりました。

いずれにしても、これら全部の調査をやったにもかかわらず、権利者と連絡がつかなかった、という証拠を付けて文化庁に申請して、はじめて裁定がなされるのです。

この裁定制度については、私も職業柄よく相談されるのですが、これだけの調査が必要だということを説明しますと、だんだん、相手の表情は険しくなっていきます。一応、「では、社内で検討します」と言って持ち帰るものの、ほとんど申請はしません。そんな調査をする費用はない場合が圧倒的に多いのです。もともと、権利者が分からない著作物には昔の著作物も多いわけですから、全集などを作ってもそれほど数多く売れるわけではないですし、ぎりぎりのところで採算をとろうとして予算を組んでいることも多いので、何十万円、何百万円という調査費用がかかってしまっては、そのプロジェクトは採算がとれなくなってしまいます。

ですから、よほど確実に採算をとれるもの、または採算をとらなくてよい公的なプロジェクトなどしか、この裁定制度は使わないというのが現状なのです。実際にこの裁定制度がどれぐらい使われているのか、昭和四十七年（一九七二年）からの実績を文化庁が公開していますが、多い年で一年間に四、五件と、非常に少ないことが分かります。

裁定制度を利用した数少ない組織の中に国立国会図書館があります。近代デジタルライブラリーという、明治・大正時代の古い図書をデジタル化してオンラインで公開するというプロジェクトのために裁定制度を利用しました。国会図書館では、権利処理のデータを公開しているのですが、調査対象者七万二〇〇〇人のうち、保護期間が満了していることを突き止められた数が約二万人。残りの権利者のうち許諾が得られた人はなんと三〇〇人程度だったということです。調査費用は、二〇〇七年度に一万冊を調査するだけで、八一〇〇万円かかっています。このような費用は普通の企業にとっては、ほとんどの場合、到底まかなうことのできない多大な出費でしょう。

仮にこの調査費用が捻出できる場合には、裁定制度は比較的便利な制度です。この場合に、支払うべき利用料の額については、いくらとはっきりと定められているわけではありません。基本的には、大体その著作物が市場でいくらくらいでライセンスされているか、という相場を調べます。それを基に、文化庁長官が金額を定めるのです。その後一〇年間の間に権利者が名乗り出れば、供託してあったお金を受け取れるという仕組みです。

以上、著作権の概要をお話ししました。しかし、著作権法が保護を与えている対象は、実はこの著作権だけではありません。その他に、著作隣接権という権利があります。これは、実演家（歌手、ピアニストなど楽器を演奏する人、俳優など）、レコード製作者（音を最初に記録媒体に固定した人）、放送事業者、有線放送事業者に与えられる権利です。

音楽の例をとって考えてみると、音楽における「著作者」とは、作詞家、作曲家を指します。歌手やピアニスト、ギタリストなどは、作詞も作曲もしていないので、音楽を創作しているわけではないのです。しかし、彼らの演奏があるからこそ、人は音楽を聴いて楽しむことができるのですから、音楽を広めることに大いに貢献しています。そこで、その貢献に対して一定の権利を与えて保護することにしたのです。

レコード製作者も同様です。演奏を記録媒体に固定をすることで、音楽を人に広めることに貢献しています。典型的にはレコード会社がこれにあたりますが、携帯電話で音を最初に録音した人にもこの権利が与えられます。放送事業者や有線放送事業者も、放送、有線放送を通じて著作物を広めることに貢献していますから、同じように保護されるのです。

保護される、というのはどういうことかというと、原則としては、その演奏や固定された音、放映された音や映像などを他人が録音、録画、複製したり、インターネットにアップロードしたりする際には、これらの人たちの同意が必要だ、ということです。実際には、昔はレコードを製作したり放送局の設備を装備したりすることには莫大なお金が必要でしたから、これらの事業者の設備投資を回収できるようにするために、独占権を与えたという面もあるのです。

したがって、例えば、テレビで流れたＣＤの音源をエア・チェック（自分で録音）して、無断でインターネットにアップロードした人は、たくさんの権利を侵害していることになります。作詞家、作曲家の著作権だけではなく、その音源に入っていた実演家、レコード製作者、放送事業者の著作隣接権も侵害しているのです。コンテンツには、実に多くの権利が含まれていることがよく分かります。

## †著作権法の意義と海賊版

最後に、著作権法の意義について見てみましょう。

よく言われることですが、著作権法は、フリーライド（ただのり）を防止するためにあります。もともと、商業権利者がコンテンツを使ってビジネスをする、ということを前提に設計されている著作権法の世界では（その歴史は次章で詳しく見ます）、コンテンツを創作する人がきちんと市場で公正に競争できる仕組みを整えなければなりません。コンテンツのように、最初の創作にはとてもお金がかかるけれども、一度創作してしまうとそのコピーはとても簡単、という情報財は、そのまま何の規制もせずに放っておくと、他人の著作物をコピーすることに専念する人（いわゆるフリーライダー）ばかりが安く作品を売って得をし、最初に作品を創った人が損をすることになります。その結果、オリジナルの作品を創ろうという人がいなくなってしまいます。

このような事態を回避するために、自分が創作したものは他人が勝手に使えないという権利を与えて、フリーライドを防止し、創作のインセンティブを確保するのです。そうすれば、皆が作品をどんどん創作するようになり、ひいては、社会における「文化の発展」（著作権法第一条）に寄与する、というわけです。

著作権法が防止したいと考える違法事例の典型は、海賊版業者でしょう。他人が創作したものを、無断で大量に複製して商業的に売っているケースです。そもそも海賊版は何が問題かというと、マイクロソフトやハリウッドが損をするというのも問題ですが、根本的には、その地域のコンテンツ市場を崩してしまうということが問題だと言われています。

例えば、中国や台湾などでハリウッド映画の海賊版が蔓延して、もともとは非常にお金のかかっているハリウッド映画が非常に安く出回るとします。そうすると、国内で一から映画を作っている人は、その価格に勝負できるぐらい安い値段で売らなければ、海賊版との競争に負けてしまうことになります。しかし、海賊版と価格競争をするとなれば、一から映画を作る人は、採算がとれなくなってしまう。ですから、どうしても、正規に作った映画は、その原価を回収できるような価格で売らなければいけないのです。もしも、ハリウッド映画の海賊版が蔓延したら、地元の映画製作者の人たちは海賊版に負けてしまい、市場から駆逐されてしまうかもしれません。ですから、単に先進国の権利者が儲け損なう、というだけにとどまらず、地元の創作者や権利者も同じように損をするのです。これこそが、海賊版の一番の問題だと言われていて、この問題を回避するために、著作権法による市場のルールの形成がとても重要なのです。

加えて、最近では、世界における海賊版の収入が、反社会的勢力（いわゆるマフィアや暴力団など）の資金源になっていることが問題として指摘されています。かつて、マフィアの資金源といえば、麻薬販売、というイメージがありました。しかし、麻薬の販売は、麻薬の入手が困難なだけではなく、麻薬に手を出す人たちの数が限られており、警察の捜査の目も厳しいので、リスクが高い商売です。

これに対して、海賊版の販売は、ディスクの作成がはるかに安くできるだけでなく、安易に買ってしまう人たちも麻薬よりかなり裾野が広いため、効率よく違法な資金を手に入れることができるのです。そのため、海賊版の販売がこうした反社会的勢力によって行われることが増えてきました。このような動きを警戒して、警察では、麻薬犬ならぬディスク犬も登場した、ということが数年前にニュースになっていたのも記憶に残っています。

## †著作権にバランスを

したがって、私は、ヨーロッパの海賊党など一部の論者が主張するように、著作権は社会からすべてなくなってしまえばよい、という考えには賛成しません。著作権法は、コンテンツが適正に市場で作られ、流通するために重要な社会的なインフラなのです。

では、著作権法は全く問題がないのか？　といえば、残念ながら、そうでもありません。個人的には、著作権法は今の社会状況・技術環境に合っておらず、いろいろな制度疲労を起こしてしまっていると考えています。また、権利者と利用者の間のバランスも、場合によっては見直しが必要だと考えています。

そこで、この本では、これから、今の時代の中で私が著作権法について考えることを、幾つかのテーマに分けてお話ししたいと思います。その中には、現状に批判的な意見もかなりあるかもしれません。けれども、著作権をなくせばよい、ということではなくて、もっと今の社会に合った形に直せばよいのだ、ということを、最初に申し上げておきたいと思います。

# 第二章 ゆらぐ著作権——その歴史と現代の課題

この章では、前章で見てきた著作権法の姿が、どのように作られたのか、まずその歴史を振り返ってみたいと思います。

その上で、百年以上前に作られた今の著作権法の枠組みが、現代の時代の流れを受けてどのような問題に直面しているのかを検討してみましょう。

## †十九世紀——現在の著作権制度の基礎ができたとき

そもそも、著作権法の起源である出版物に対する法的保護の枠組みは、活版印刷術の普及によって起こった出版業界の地殻変動の中で誕生したものでした。もちろん、それ以前にも芸術作品や文芸作品は存在したのですが、著作権のような保護制度はあまり必要ではありませんでした。というのも、作品を大量に複製する手段がなく、複製手段は基本的に手書き（筆写や模写）に限られていて、大規模な複製が不可能だったからです。

ところが、十五世紀くらいから、ヨーロッパでは活版印刷術が広く普及していきました。この普及とともに、大量の印刷物が流通するようになりました。この活版印刷術は、思想的にも大きな影響をヨーロッパの社会に与えたことはよく知られています。例えば、啓蒙主義思想の普及や政治的変革なども、一つの思想を多くの人に同時に伝えるという手段があってこそ実現したものだと言われています。そして、本書のテーマである著作権法にとっても重要な動きを生み出しました。国内法としての著作権法の制定です。

例えば英国では、著作物に対する保護制度は、十五世紀の初頭にその萌芽が見られます。英国では、外国から活版印刷術を積極的に国内に導入しようとする政策に伴って、国王が印刷業者に特権を与えたことがその始まりだとされています。その後、出版業の営業権の独占をめぐる争いや言論の自由との衝突等、いろいろな要因の影響を受けながら、十八世紀終わり頃までの間に、少しずつ形を変えながら発展していきました。

しかし、十九世紀になるまで、国を超えて、国際的に著作権を保護しようという枠組みは存在していなかったのです。

その頃には、国際的交流の増加とともに、作品の翻訳などが原著作者に無断で海外に出回るケースが多発していました。ところが、国ごとの著作権法しかない状態では、海外でのこうした出版行為について、原著作者に権利があるのかどうかが不明確です。そこで、まずは二カ国間で相互に著作物を保護し合う二国間条約の締結の動きが十九世紀半ば頃に広がり始めました。しかし、多国間で自由に流通していく著作物の保護として、二国間条約では限界があります。こうして、各国の著名な著作者らが国際文芸協会を立ち上げ、多国間条約を求めるロビー活動を盛んに行いました。その結果、一八八六年にスイスのベルンでベルヌ条約が締結されたのです。

この国際文芸協会の初代会長が、『レ・ミゼラブル』を書いたフランスのヴィクトル・ユゴーです。当時、ユゴーの書いた本は、フランス国内では保護されましたが、例えば著作権の保護体制が不十分な国で安く本が作られてしまうと、手の打ちようがありませんでした。当然、彼はそれが大いに不満だったのです。そこで、すべての国が、一つの条約でお互いに海外の著作物についても保護し合う体制を作りましょうと訴えたのです。

日本は、一八九九年にベルヌ条約に加盟して、同年、このベルヌ条約に沿った形で旧著作権法を制定しました。現在、ベルヌ条約には、世界中から合計一六四カ国が参加しています。そして、参加しているこれらの国は、自国の著作権法を、このベルヌ条約の内容に沿って定めなければならない義務を負っているのです。

### †ベルヌ条約の枠組みは、当時はとても合理的だった

では、そのベルヌ条約とは、どのような内容なのでしょうか。この条約が合意された十九世紀末の時代背景を考えると、その内容は、当時としては合理的な内容だったということができます。

ユゴーが活動した十九世紀は、活版印刷術の時代です。活版印刷術の時代における印

刷・出版は大工場がないとできません。したがって、複製というのはごく一部の業者が産業的にする行為でした。当時から、印刷する人の他に、本を読んだり書いたりする人は、（今より少ないとしても）たくさん存在して、本を読む、知識を増やす、増えた知識に基づいて新しい本を書く、その本を出版する、という創造のサイクルが存在していました。そのうち、著作権が実際に規制するのは印刷作業の部分のみ、とベルヌ条約は定めたわけです。人が本を書いて出版するという行為を考えた場合、原稿を出版社が本にする作業に非常にお金がかかるので、その部分を保護しようというものであり、その実態は、印刷業者に対する産業規制法だったのです。

Copy（X）＝Copyright

この、ベルヌ条約の基本的な仕組みを、式にしてみると、上のような感じでしょうか。

要するに、あるXという作品をコピーすると、そのたびにコピーライトという権利の処理が必要であるというものです。

このとき、ベルヌ条約の基本（つまりは世界における著作権制度の基本）として決められたことが幾つかありました。

一つは、知識や情報へのアクセスは自由にしよう、ということです。

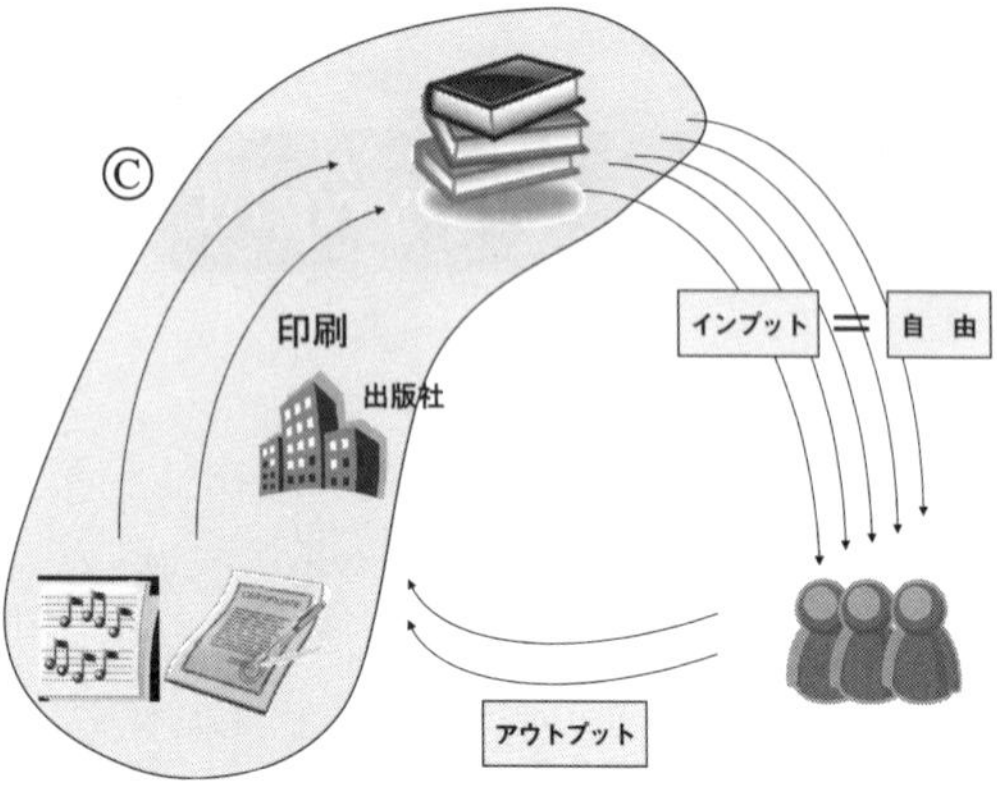


著作物の複製と流通：19世紀末

人が本を読む部分（インプットの部分）は、知識へのアクセスであり、人々が文化を発展させていく上で重要なことなので、著作権者の承認は要らない、という原則を作ったのです。

例えば、ここに人が三人いるとします。この三人が、本を読む人でもあり、また文章を書く人でもあるとしましょう。書かれた文章を印刷業者が出版して、それをまたみんなが買って読むというサイクルがあります。この、創造のサイクルのうち、本を読むところ、そしてその知識に基づいて著者の手元で本を書くところには規制をかけない、ということです。この原稿を著者が公表する、つまりは、原稿を受け取った出版社が、お金儲けのために本を刷る。ここだけが著作権法の規制対象とされたのです。

もちろん、形式的には、家の中で他人の本を書き写したり改変したりすれば、例外規定などで免除されていない限り、著作権の対象にはなります。けれども、権利者がこれを察知することはほとんどないわけですから、実際にはこのような行為は見逃され、事実上、自由に行われていたのです。

また、権利者の利益という観点からも、このことで特に困ることはないのです。当時の技術水準を前提にすると、多くの人が本を読むためには、その本が流通しなければなりません。そのためには、基本的には本の出版（複製）が必要になるわけですから、読むという行為の前段階である複製行為さえ規制しておけば、読むという行為を規制しなくても、権利者の保護として十分だ、といえるわけです。

このように、本を読むというインプットの行為は、自由とされたのです。これは、著作権の原則として、とても重要なことだと私は思っています。なぜなら、社会を形作り支える人々が、より多くの知識に触れることができるということは、民主主義を支える原則として、そして多様な文化を創り出す土壌として、大切な要件だと思うからです。人間の表現活動は、脳への外界からのインプットの蓄積として生まれます。この著作物のアクセスとインプットの自由は、人間の知的活動の自由（表現の自由、研究活動の自由、知る権利など）を根本的に支える、社会における重要な安全弁として機能してきたといえるのです。

もう一つのルールは、一九〇八年に合意された、無方式主義です。外国で創作された著作物については、登録などの方式を要求しなくてもその権利を保護する、という方式を採用したのです。当時の技術水準を前提にした場合、海外の著作権者が、保護してほしいすべての国に自分の作品を登録するのは、あまりに手間がかかりすぎて大変だ、という理由からです。

考えてみれば、当時はもちろんインターネットもなく、ライト兄弟の初飛行が成功したばかりの頃ですから、海外との書類のやり取りはすべて船便なわけです。時間もかかるし、リスクも高い。このような当時の条件を考えれば、外国における保護のためにいちいち登録書類を送付するということでは、国際的な著作権の保護というベルヌ条約の目的をかなり制約してしまったでしょう。したがって、ベルヌ条約に加盟している国の間では、権利者は特に何もしなくても、外国では自動的に著作権が発生する、という設計は当時は、それなりに合理的だったのです。

そして、この無方式主義は、結局、国内の著作権者の保護についても、登録を不要とする制度を後押しすることになりました。条約上は、登録を要件として要求してはいけないのは、外国で創作された著作物だけです。例えば、日本の著作権法が、日本で創作されたものには登録を求め、海外の権利者にだけ登録を免除する法制度は、ベルヌ条約の下でも許されているのです。けれども、実際にはこのような制度を採用している国はほとんどありません。なぜならば、海外の権利者の方を自分たちよりも優遇する制度は、国内の権利者の納得を得られないからです。その結果、国内の権利者についても登録は権利の発生要件ではない、という法律が広く制定されるようになったのです。

### †二十世紀――増築の時代

二十世紀には、世の中に流通する著作物の形態は書籍だけではなくなってきました。音楽についても、十九世紀までは楽譜が中心でしたが、二十世紀には演奏を固定できるレコードが広く普及し、次第にカセットテープ、CD、MD、DVDと形を変えつつ発展していきました。また、映画も普及し、フィルムからビデオカセット、DVDへと進化していきます。コンピュータも生み出され、コンピュータ・プログラムやデータベースも登場しました。作品の種類という意味でも、その媒体という意味でも、どんどん発展し多様化していったのです。

とはいうものの、作品が世の中に流通する基本的な構造は、十九世紀の書籍の頃とそれほど大きく変わりませんでした。要するに、レコードでも、カセットでも、CDでも、二

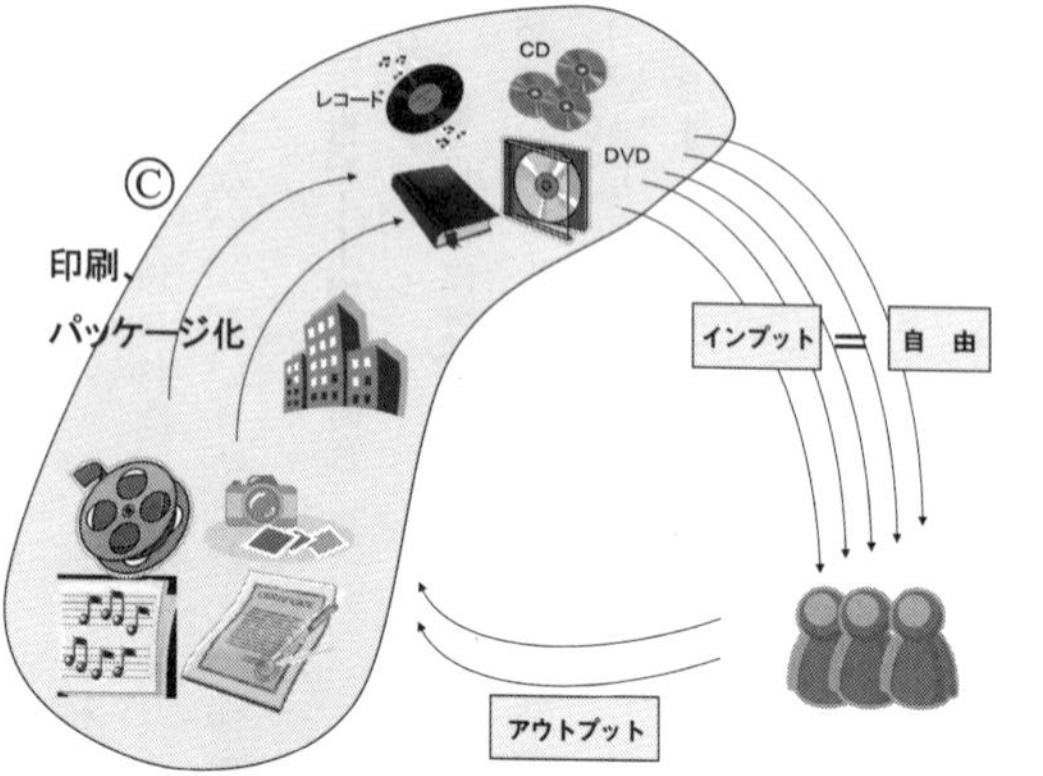


著作物の複製と流通：20世紀

十世紀の末までは、大きい工場がないと大量に生産して流通にのせることができなかったのです。コンテンツ産業は、書籍と同様、基本的にはパッケージ産業であり続けたわけです。そして、そのパッケージ産業を担っている工場の人たちや流通の人たちを規制する法律が著作権、という基本構造は変わらなかったのです。一方、これらのパッケージされた本や音楽や映画を見聞きすることは自由にできたし、仮にそれを個人的にリミックスしたり一部や二部コピーをとったりすることができても、そのような行為はたいてい規制の対象外になっていたのです。

著作物の複製と流通の構造がこのように基本的に変わらない限り、著作権法の基本的な規制の仕組みも、十九世紀の頃と全く同じでも、なんとか対応が可能です。

実際には、新しい技術に対応してベルヌ条約は数度改正され、日本の著作権法もまた、映画、レコード、放送、コンピュータ・プログラム、デジタル複製機器など、新しい技術の誕生と普及に合わせて改正を繰り返してきました。しかし、その改正は従来の著作権法を「増築」するに留まり、根本的な「建て直し」という考え方にはなりませんでした。逆にいえば、インターネットが出てくるまでは必要がなかったともいえるのです。

## †二十世紀末から二十一世紀——デジタル・ネットワークの時代

ところが、皆さんもよくご存知のとおり、二十世紀の終わりから二十一世紀にかけて、インターネットの時代になります。ここで、著作物を取り巻く力学は全く変わってしまいました。つまり、デジタル・ネットワーク技術の普及によって、パッケージ産業のみが著作物のメインの流通形態であった時代は終わりを告げ、それとともに、著作権法が前提としていた社会状況が大きく変わってしまったのです。

もちろん、今でも従来のパッケージ流通の世界は存在しています。しかし、日増しに、次頁の図の真ん中にある、ウェブの世界のウエイトが高まってきました。

アウトプットについていうと、例えば、頭で考えていることを、そのままツイッターで

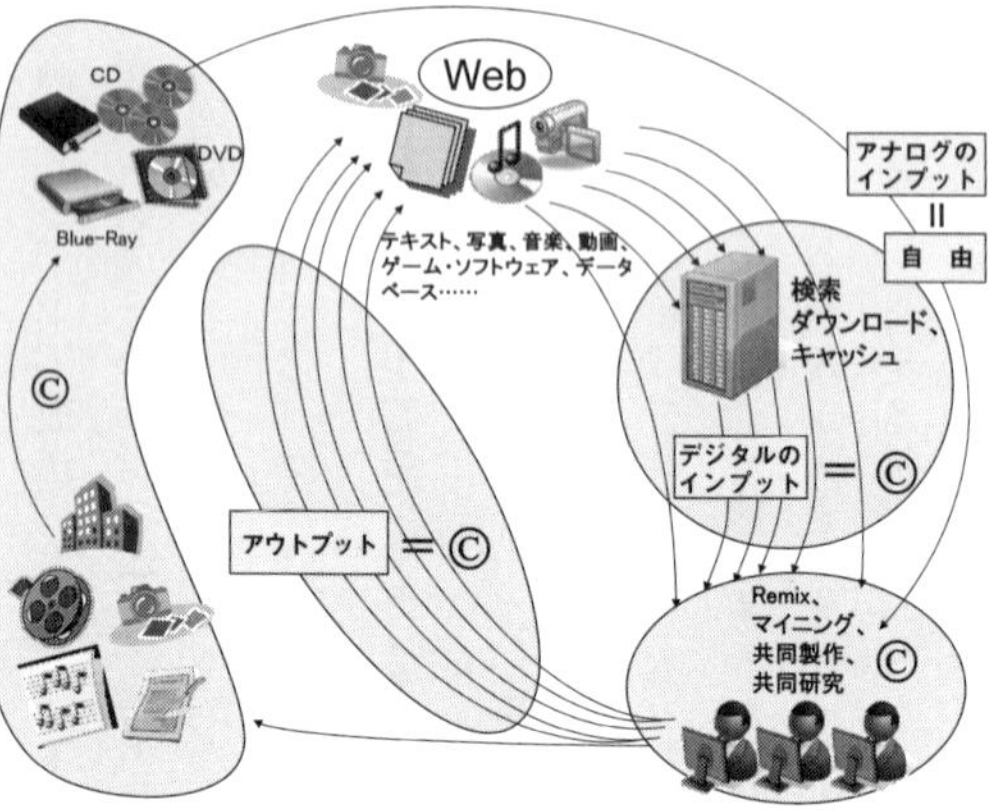


著作物の複製と流通：20世紀末〜21世紀

つぶやいたとすると、それがこれまでのように家の中にとどまることなく、広く世界に発信されて、著作権法の対象になります。創造のサイクルにとって非常に重要なインプットの部分でも、検索エンジンは常にウェブページをクロール（巡回）してサーバにキャッシュを作っている（一時的に複製しておく）ことが問題視されます。手元のコンピュータでネット上の著作物を閲覧するだけでも、コンピュータはデータのダウンロードを行ったりキャッシュを作ったりして、コピーを作っています。

先ほど述べた方程式を思い出してください。要するに、上の図の一番左の商業的な出版行為を規制しようと思って、「複製」というキーワードを選んだわけですが、今では、著作物を商業的に売る場合のみならず、著作物をネットで閲覧するときも、友達にメールを送るときも、何をするにも常に複製が必要になってしまったのです。

著作権法自体の公式（「許諾を得ない複製＝著作権違反」）は同じでも、この公式に代入される行為や技術が変わってきてしまった結果、公式があてはまる社会の範囲がどんどん自動的に拡大をしていってしまい、当初は想定してなかった範囲にまで著作権がどんどん入ってくるようになってしまったのです。これが、今の著作権において問題を生んでいる根本的な原因です。

以下では、この問題をもう少し詳しく見ていきましょう。

## †デジタル技術と著作権法の根本的なねじれ

デジタル時代の著作権は、いろいろな難問を抱えています。

その多くは、デジタル・ネットワーク技術と著作権のねじれから来ていると私は考えています。デジタル技術により、いろいろな著作物をコピーし、改変し、ウェブにアップロードすることは驚くほど身近になりました。デジタル技術は、いかにデータの品質を劣化させないで早く簡単にコピーしたりリミックスしたりできるか、という技術ですし、ネットワーク技術は、いかに早く安く確実にデータを届けるか、という技術です。したがって、これらの技術が発達して普及すれば、ある意味、著作物の利用が身近になり、世の中が著作権の利用で溢れてくるのは、当然のことなのです。

これに対して、著作権法は、これらの行為について権利者の許諾を求めることを基本とし、無断で行うことを禁止しています。つまり、複製や頒布を推し進めるデジタル技術とこれを禁止する著作権は、そのベクトルが完全に逆を向いているのです。このことが原因で、いろいろと問題が起こってきています。

## †デジタル技術では「複製」が基本？

その問題の一つ目は、デジタル技術ではあらゆる行為の基本として、データの媒体への蓄積が行われるということです。例えば、音楽を再生する場合を考えてみましょう。アナログのカセットテープやLP盤レコードでは、音楽（音の波）は磁気や機械的振動などの波の形で記録されていますから、再生にあたってはその波をそのまま音の波に再変換することができました。ところが、デジタルのCDでは、音の波は一定のルールで0と1のデジタル情報に変換されて記録されています。この0と1の信号は、このままでは人の耳では理解できないので、再生にあたっては、再生機の中でいったんバッファへ蓄積されて、人の耳が覚知できるアナログの音の波に再び変換されなければなりません。

このようなデータの蓄積を必須とするデジタル技術は、著作権制度が成立したときには思いもしなかった問題を引き起こしてしまいました。それは、「複製」という行為の位置づけの変化であり、究極的には、著作権法が規制する行為と規制しない行為との間の線引きを、意図的にではないにせよ、変更してしまう結果になったのです。

## †使用か？　複製か？

先ほどご紹介したとおり、これまで、著作権法は、ベルヌ条約の成立からデジタル技術が登場するまでの間、著作物へのアクセス行為、つまり著作物を見たり聴いたりする「使用」行為は、規制の対象外としてきました。

しかし、デジタル・ネットワーク時代になって、この原則が根本から揺らぎ始めました。というのも、先ほど説明したとおり、デジタル技術においては、著作物を見聞きするという「使用」のためにも、データの蓄積が必要となってしまったからです。そのことにより、「使用」と「複製」の境界線は極めてあいまいになってしまいました。このことを象徴するのが、「一時的・瞬間的蓄積は著作権法上の複製に該当するか」という議論です。

例えば米国では、MAIシステム事件の判決が一九九三年に出されました。この判決の中で、コンピュータ・ソフトウェアを正規に購入した人から保守を依頼された保守業者がコンピュータでそのソフトウェアを走らせる過程で、コンピュータのRAM（ランダム・アクセス・メモリ）に短時間でもソフトウェアのデータを蓄積する行為は、著作権法上の「複製」に該当するという判断が出ました。

この判決の基準を前提に考えると、いろいろ不都合なことが発生してきます。例えば、図書館で自由に本を読むという著作権制度の規制外の行為をオンライン上に置き換えて、インターネット上に存在する文献をダウンロードせずにディスプレイに表示させて「立ち読み」するとします。この場合でもディスプレイ表示の前提となるコンピュータのメモリへのデータ蓄積をとらえて、著作権法上の「複製」であると主張することが可能になってしまいます。そうすると、権利者は、法律を改正することなく、技術の変化と、これに伴う「複製」の範囲の拡大によって、アナログであれば自由だった行為を、デジタル世界では「自由」ではないと主張することが可能になってしまうのです。

実際に、米国では、このようなデータの蓄積を捉えて「複製だ」と主張する訴訟が数多く提起されました。これに対して、多くの学者は反対したのですけれども、結局、「一時的」なデータ蓄積は複製である、という議論が判例の主流となっていったのです。

## †一時的蓄積に対する日本の対応

米国で始まったこのトレンドは、その後どうなっていったのか、日本ではどう扱われたのか。重要なことですので、もう少し詳しく見ていきましょう。

まず、一九九六年に成立したWIPO（世界知的所有権機関）著作権条約をめぐって議論が行われたとき、当初は、「一時的」なデータの蓄積も著作権法にいう「複製」に含む、という条文案が提案されていました。この条文案に対しては、日本を含めた多くの国が反対しました。その結果、WIPO著作権条約から、最終的には「一時的」なデータ蓄積に関する条文は完全に削除されてしまいました。これにより「一時的」なデータの蓄積をどう扱うか、ということは、各国の解釈に委ねられることになったのです。

その後、日本では、二〇〇〇年に「スターデジオ判決」というものがありました。スターデジオは有料の衛星デジタルラジオ放送ですが、DJなどのトークもなく、CDの音源をフルサイズで送信していたのです。音楽のコアのファンは、新曲のCDを買うよりも、この有料放送に申し込んで、好きな曲をエア・チェックしたほうが安いということで、MDなどの媒体に録音するようになったのです。そこで、このサービスがレコード会社のCDの売り上げを圧迫するのではないか、ということが大問題になりました。

ところが、日本の著作権法では、音楽を「放送」するには、レコード会社の許諾は要らないのです。放送のあとで、「二次使用料」といって、決められた使用料を払えばよいのです。レコード会社は、このことが不満でした。当時、レコード会社がイメージしていたレコードの「放送」というのは、放送番組で一部分だけが使われたりDJのトークが入ったりして、たとえリスナーがエア・チェックしたとしても、CDの代わりになるような録音物はできない、という前提だったのです。ところがスターデジオの番組は、CD音源のフルサイズ送信で、エア・チェックすれば、音質の差はともかく、CDの代替品が手に入ってしまう。そこにレコード会社は危機感を持ったのです。

そこで、レコード会社は、利用者がこのラジオ放送を受信するとき使うセットトップボックスのRAMに目を付けました。受信者が放送を受信する場合、特に録音するわけでもなく、ただ音を聴くだけであっても、セットトップボックスのRAMにいったんデジタル信号を貯めなければならない。そうしないと、アナログ信号に変換して外に出力できないからです。レコード会社は、ここに目を付けて、米国の議論を参考にしつつ、RAMに音楽のデータを貯める行為はすべて著作権法に定める「複製」である、と裁判で主張しました。

しかし、裁判所は、「著作権法上の『複製』、すなわち『有形的な再製』に当たるというためには、将来反復して使用される可能性のある形態の再製物を作成するものであることが必要であると解すべきところ、RAMにおけるデータ等の蓄積は、一時的・過渡的な性質を有するものであるから、RAM上の蓄積物が将来反復して使用される可能性のある形態の再製物といえないことは、社会通念に照らし明らかというべきであり、したがって、RAMにおけるデータ等の蓄積は、著作権法上の『複製』には当たらない」として、この主張を否定しました。米国のような考え方はとらない、ということを明確にしたのです。この判決以降、日本では、コンピュータを使って一時的にデータを蓄積してデジタルデータを見たり聞いたりする行為は、著作権法の「複製」ではない、つまり、従来と同じように完全に自由であるという解釈がなされてきました。

しかし、一部には、根強く反対する人もいたのです。特に、コンピュータの仕組みがどんどん進化して、RAMに貯めたデータがすぐには消えず、ずっと保存されていたり、キャッシュがコンピュータに残る時間が長くなってきたりした結果、「一時的」なデータの蓄積と言っていても、ダウンロードした場合と何が違うのか、だんだんその境目が分かりにくくなってきたことも背景にはありました。

### †グレーな状況を作ってしまった文化庁の対応

そこで、文化庁は、この問題を法律的に決着しようとしました。平成二十一（二〇〇九）年に著作権法が改正されたときに、オンラインのコンピュータが「情報処理を円滑かつ効率的に行うために必要と認められる限度」では、著作物を複製しても著作権法の侵害ではない、とする例外規定を新たに追加したのです。文化庁は、RAMなどのメモリに著作物のデータを蓄積する行為でも著作権侵害になることがあるのではないか、という疑義を払拭するために導入した、と説明しています。けれども、この規定のせいで、下手をすると、「例外規定にあたるもの以外はすべて複製に該当して権利侵害である」という議論になりかねない余地を逆に創り出してしまった感じもするのです。

具体的に見ていきましょう。例えばユーチューブにテレビ番組を無断でアップするのはもちろん違法ですが、アップされているテレビに番組を視聴者がストリーミングで視聴するだけであれば、この情報処理による例外規定に入り、適法です。ネット上のコンテンツが違法にアップロードされたものである場合、それを知ってダウンロードする行為は同じ二〇〇九年の改正で違法になった、というお話をしましたが、ダウンロードせずストリーミングだけであれば、見たり聞いたりするのは自由のままなのです。しかし、ネット上のコンテンツを見る場合、キャッシュがパソコンのどこかに保存されていて、それをあとから見ることができる場合もあります。少しパソコンに詳しい人であれば、ユーチューブ上からテレビ番組が削除されてしまったあとでも、このパソコンのキャッシュを取り出して保存しておくこともできるかもしれません。文化庁は、このような行為を心配したのです。

そこで、今回の著作権法改正では、オンラインのコンテンツを見聞きしたり、ネット上のページを単にディスプレイで見るだけであれば合法だと明確化された一方で、同時に、法律的にセーフなのは「オンラインで情報処理をしているとき」だけで、オフラインになったあとに、パソコンに残ったキャッシュを視聴する行為は違法である、という規定を同時に入れることにしたのです。

しかし、ユーザーから見て、この二つを区別することは、なかなか難しいのが現状です。例えば、私が電車に乗る直前にパソコンのブラウザーでウェブページを見ていたとします。電車に乗ってから、同じパソコンを開いて、先ほど開いていたウェブページをオフライン状態で見る、なんていうことはよくあります。しかし、オンラインで見ていたら合法だったそのページを、電車に乗ってからオフラインで見たら違法、ということになってしまったわけです。一般のユーザーから見たら、この二つの片方が合法で片方が違法、というのは、にわかに納得できない結論でしょう。結局、どこまでが適法で、どこからが違法なのかが、今回の法改正でより分かりにくくなってしまったとも言えるわけです。

文化庁としては、良い意図で今回の著作権法改正をしたつもりかもしれませんが、例外規定を作ろうとすると、権利者から「ここまで例外の範囲に入れるのは広すぎる」などと批判されます。また、従来の例外規定とのバランスから、ここは違法にしないとおかしい、などの意見が法務省や内閣法制局などから寄せられたりします。その結果、単純に「コンピュータでのキャッシュは合法」とか「オンラインでの視聴は合法」という形で割り切ることが難しくなってしまい、例外規定といっても、いろんな条件を付けたり、一定の場合を除外したりすることが、近年特に増加しているのです。

その結果、条文自体も非常に読みにくくて、とても法律の専門家以外の人には理解できない上に、「例外の例外」がたくさんあって、「オンラインの視聴」の中に、違法のエリアと合法のエリアがパッチワーク状態で混じり合う状態になってしまったのです。このような細かい条件を全部記憶しているのは、著作権を普段からどっぷり研究しているほんの一部の人だけでしょうから、ほとんどの人にとっては、逆に、「地雷をいつ踏むか分からない」状態になってしまったわけです。

## †チープ革命と著作権

長くなりましたが、アナログ時代には「視聴」は自由だったのに、デジタル時代になって「自由」ではなくなりつつある、という話をしてきました。この話はこのくらいにして、次に、デジタル・ネットワーク技術が著作権法にもたらした変化の二点目を見てみましょう。これは、複製技術と流通技術が人々に広く普及したことで、著作権法の社会全体におけるコストが飛躍的に上昇した、という点です。

梅田望夫さんが『ウェブ進化論』(ちくま新書、二〇〇六年)で「チープ革命」と言われるデジタル・ネットワーク技術の大衆化について、非常に分かりやすくまとめています。つまり、複製・翻案・公衆送信といった行為を可能とする機器や設備がとても安価になり、広く出回ることによって、誰もがこれらの行為を気軽にできる時代になったのです。今や、数万円でパソコンを買えば、作品をコピーしてオンラインで一万人に届けることは、中学生でも可能です。このことによって、大規模な複製をして作品を他人に配るのは限られた業者だけ、という従来の構図はあっさりと崩れ去りました。

変わったのは、著作物を利用できる人たちの範囲だけではありません。技術進化は、著作物という客体にも大きな変化をもたらしました。まずは、日々生み出され、流通する著作物の量が爆発的に増加しました。ブログ、ツイッター、ミクシィなどに日々書き込まれる情報は膨大ですし、携帯で撮影した写真やお父さんお母さんが撮影する子供のビデオなども、オンラインでどんどん公開されています。これに加えて、既存の著作物と自分の創作のリミックスや、著作物の形式を超えた編集・改変行為も簡単になりました。

ニコニコ動画やピアプロ、ピクシブといったコミュニティに日々投稿されるリミックスの数も日増しに増加して、その影響力もどんどん大きくなっています。ニコニコ動画でヒットした楽曲が一部のカラオケランキングで上位に喰い込むことも頻繁に見られるようになりました。また、一度もリアルの世界で顔を合わせたことがない人たちどうしが、ネット上で自己の創作した音楽やデザインや文章をやり取りして一つの作品を作ることも頻繁に行われるようになっています。

このように、作品の数が増えただけではなく、複数の人が関与して創作する作品が増えると、問題は一挙に複雑化します。というのも、日本の著作権法のもとでは、複数の人が共同で創作した共同著作物や、既存の作品を改変して創作した二次的著作物については、これを複製したり、ネットで配信したり、という利用行為を行う場合に、原則としては、関与した創作者全員の許諾がなければできない、というルールになっているのです。共同著作物の場合は共同創作者全員の同意が必要ですし、二次的著作物（改変物）については、元の創作者と改変した創作者の全員の同意が必要です。

創作者が一人なら、その人が利用に合意する可能性は二分の一ですが、二人になると、二人ともが利用について合意する可能性は四分の一、三人になると八分の一。つまり、権利者の数に応じて、指数関数的に全員が利用に合意する確率というのは小さくなっていってしまうのです。このせいで、今のネット上のコンテンツの権利処理は、加速度的に複雑化しています（ちなみに、米国では、共同著作物については、共同創作者の一人が利用に合意すれば合法に使える、というルールなので、日本よりは許諾が取りやすくなっています）。

このような、著作物の絶対量の増加や権利の複雑化は、社会全体で見たときの、情報流通のための権利処理のコストを飛躍的に増加させてしまいました。その結果、社会で深刻なねじれ現象が起きてしまったのです。つまり、チープ革命によって、資力の乏しいたくさんの人が著作権の世界に参入して、かつては大工場がなければできない行為をどんどん始めている。しかし、著作権法のルールは変わっていないどころか、権利処理の範囲はむしろ拡大していて、権利処理のために必要な費用は増加の一途をたどっている。本当ならば、専門の権利処理チームがいなければできないようなことを、中学生がしなければならない、というような状況が作り出されてしまったのです。

そのような中で、著作権法のルールを本当に厳格に運用して、著作権違反の人をどんどん訴えたり、または警察が逮捕するようになってしまったらどうなるでしょうか。専門の権利処理チームを雇えるお金持ちや体力・資力のある企業などの一部の人たちだけが、安全な表現活動をできることになり、資力のない一般の人たちは、チープ革命で技術的にはできることが増えたにもかかわらず、安全な表現活動はできないことになってしまう。つまり「持てる者と持たざる者」の格差が、表現活動や、下手をすると情報へのアクセスという場面で、どんどん拡大してしまうことになるのです。

これでは、技術のもたらした恩恵を社会が享受できないこととなるだけではなく、表現の多様化を阻害し、日本が目標として掲げる「クリエーター大国」に対して根本的な矛盾を突きつけることになるとも言えるでしょう。

また、裾野の広い表現こそが民主主義を支えるものであるのならば、このように、資力のある人だけが発言できる、という社会は、言論の多様化を阻害し、民主主義の基盤をも揺るがす危険を持っている、ともいえるかもしれません。大げさだと思う方もいらっしゃるかもしれませんが、実際に米国では、ブッシュ大統領を批判するために、ブッシュ大統領が出ているテレビ番組のクリップを使おうとしたところ、その権利を持っている保守系のテレビ局がこれを許諾しないために、ブッシュ大統領を批判するビデオを作るには、著作権侵害のリスクを冒さなければならないという問題が発生しているのです。

このように、資力のある人だけが表現活動で優遇されるということになってしまっては、著作権法が最初にできたときに考えられていた、独占と表現の自由のバランスを取り、文化を発展させようという理念が台無しになってしまいます。そして、実際に、世の中はそういう危険な方向に進みつつあるのです。

## †著作物のタイプが多様化したことによるもう一つの問題点

デジタル・ネットワーク技術の進展とともに注目されるようになった変化の三点目は、伝統的な表現形式の一つである文章と、その他の表現形式との間のギャップが拡大または顕在化してきたことでしょう。これは、例えば、ローレンス・レッシグ教授が『REMIX』（翔泳社、二〇一〇年）という本の中で分かりやすく説明しています。

特に、これは、著作権と表現の自由のバランスを図るために組み込まれた著作権の大原則の一つである「アイディア・表現の二分論」や、著作権の例外規定に関して顕在化してきているように思います。

前章でご紹介したとおり、著作権法は、アイディア、事実、または創作性のない表現を保護していません。したがって、同じアイディアや事実を他の方法で表現することは自由なのです。ところが、これらの「安全弁」の適用範囲が、幾つかの表現形式の間で異なるように感じることが、近年増加してきました。

この「アイディアは保護せず、表現だけを保護する」という原則を、文章にあてはめることは比較的簡単です。その文章に書かれている事実やアイディアだけを抽出し、自分の表現で書き直せばいいからです。それでは、音楽や写真の場合にはどうでしょうか？　これらにおける「アイディア」とは、いったい何でしょうか。同じ「アイディア」を表現しようとしつつ「書き直す」というのは、音楽や写真の場合、どのようなことをすればいいのでしょうか？　似たようなコンセプトの別の曲を作り、または同じ場所に行って同じ被写体の写真を撮るほかはないのでしょうか？　そのような場合に、「同じアイディア」を表現できていることになるのでしょうか？　「アイディア・表現の二分論」は、文章の場合にはとても分かりやすいのですが、他の作品形態になると、あまり上手に機能していないようにも思えます。

例外規定の一つである引用についても、同じことが言えます。文章や写真・絵画の場合には、公正な慣行に合致し、かつ、「報道、批評、研究その他の引用の目的上正当な範囲内で」行われれば、正当な「引用」として利用が許されます（著作権法三二条）。この「引用」に関しては、判例がいろいろな要件を提示していて、その要件も微妙に変化したりしていますが、大筋では、①引用される他人の著作物と、その著作物を引用する自分の著作物との間が明瞭に区別できて、かつ②自分の創作部分が主、他人の著作物が従、という関係が成り立っており、③出所（出典）を明示していれば、適法な引用になると言われています。では、文章と同じように、音楽の「引用」は許されるでしょうか？

例えば、私が非常に気に入った音楽があるとしましょう。その音楽の、この部分が特に好き、ということを説明してコメントするとき、これを口で説明するのでは上手に伝わらない。今は、その曲を直接、自分のブログに貼ったり、ビデオに引用したりしてコメントを加えることはとても簡単にできることなので、そうしたいと思うのはある意味自然な流れでしょう。そこで、ブログにその部分を貼りつけて、批評を加える。その程度なら、文章に批評を加えるのと同じように考えることも可能かもしれません。

しかし、気に入った音楽を、自分の作った文章を自分のブログ（文章）の中で紹介するのと同じように、気に入った音楽を自分の作った音楽の中で「引用」して紹介したらどうでしょうか？　動画の中に他の動画を引用したらどうでしょうか？　それは「批評」などの「正当な目的」になるのでしょうか？　また、最近、幾つかの判例では「引用することとの必要性」がある場合だけ合法だ、という要件を追加するようになっていますが、これらの場合、「引用の必要性」はあるのでしょうか？　そう考えると、文章どうしなら大丈夫なことでも、音楽と音楽、写真と写真の引用ならダメなのではないか、と感じる人も多いかもしれません。しかしよく考えると、なぜこのように文章でできることが他の表現形式でけだめなのか、その理由がよく分からないような気もします。

この問題は、デジタル・ネットワーク技術が発展する前から存在していたものであり、決して新しい問題ではありません。しかし、デジタル・ネットワーク技術の普及とともに顕在化し、今後ますます深刻となっていくだろうと思われる点で、重要な意味を持っていると考えています。

## †著作権の大衆化――業界法からお茶の間法へ

そして、デジタル・ネットワーク技術の普及が著作権制度にもたらした四つ目の変化（おそらく最も重要な変化）は、著作権法の適用対象が一部の業界人から一般市民へ拡大し、「業界法」から「お茶の間法」へ変質を遂げたことでしょう。もともと、著作権法は、家庭内での利用などを例外規定で除外していたこともあって、その誕生以来、著作物を業務として大量に取り扱う事業者を主たる対象として規制する法律でした。ところが、デジタル・ネットワーク技術の普及によって、著作権の担い手は一挙に一般市民にまで拡大し、今や中学生どころか小学生でも、インターネットで創作活動をする時代になりました。その結果、様々な立場や考え方の人が著作権の傘の中に入ってくるようになり、いろいろな対立を生み出すことになったのです。

例えば、コンテンツでビジネスをしている商業権利者と、このような商業権利者が創り出したコンテンツを利用したり、リミックスしたりする一般市民との間の対立が先鋭化してきました。また、コンテンツを創作する人たちのインセンティブも多様化しています。ビジネスを重視する人、単純に他人に見てもらうことに喜びを感じる人、作品のリミックスを通じた他人とのコミュニケーションを楽しみたい人、など様々です。

このことは、著作権法の今後のあり方に大きな課題を突き付けています。一つには、これまでのように、弁護士が雇えるような業界の人たちだけを対象にした法律だという前提のもとに、複雑な規定をどんどん作ることが限界に達するということです。数の上だけで見れば、むしろ、プロの人たちよりも、アマチュアの一般利用者、一般創作者の人のほうが圧倒的に多いでしょう。そのことは、一般の人たちでも分かりやすい法律にしなければならないのではないか、という当然の疑問を発生させることになります。ところが、今の著作権法は、とても複雑で、到底、そのような分かりやすい法律とは言えないのです。

しかし、法律を変えようとすると、もう一つの課題に直面することでしょう。それは、今後の立法や法律改正がますます困難になるのではないか、という問題です。デジタル・ネットワーク時代以前の著作権法は、関係する事業者の間の取り決めが法律化されたもの、という傾向がとても強く存在していました。例えば、著作権法の中には、映画の著作物だけに特別にあてはまるルールがあります。これは、昔、映画を作ることは一部の映画製作者だけができる、とても資金のいる行為で、したがって、その映画製作者の人たちや、映画の流通に関わる人たちの間でだけ、その業界に配慮した特殊なルールを設けることがそれなりに合理的だったからです。

しかし、今や、映画といっても、私がビデオカメラで撮影して、パソコンで適当に編集したものも立派に著作権法にいう「映画」であるという時代になりました。そこで、著作権制度に関連して新しい立法を行うにも、これまでのように一部の利害関係団体から代表者を呼んで意見を聴くだけでは、十分に利害関係者の利益を反映していないのではないか、ということが問題になります。かといって、あまりに考え方や立場のかけ離れた関係者を全員呼んで、その間で利害調整をし、皆が満足する規定を作ることは、困難を極めるでしょう。今さかんに議論されている、一般例外規定（いわゆる「日本版フェア・ユース規定」）の議論を見ていても、それを痛感します。

著作権法を離れて、他の法律分野に目を向ければ、事業者として一定の行為を行う者に対する規制と、事業者ではない一般消費者や個人に対する規制は、その知識の差や事業活動を行う者の社会的責任等に着目して、切り分けて定める場合が多いのが実情です。そして、事業者に対しては一定以上の高度な注意義務を課すのに対して、非営利の一般市民の活動に対しては規制を及ぼさなかったり、場合によっては、消費者に対して一定の範囲でこれを保護するような規制を行うことも多いのです。例えば、普通の契約取引についてみても、一般市民の行う取引については民法が定めており、一方、事業者どうしの取引は商法が定めています。また、事業者と消費者の間の取引については、消費者契約法があり、その力の差に注目して、消費者を一定の範囲で保護するようにしています。

著作権法と同じ「知的財産法」である特許法・実用新案法・商標法・意匠法などは、「業として」行う行為、つまり、事業として行う商業的な行為のみを対象にしていて、個人的な利用はそもそも規制の対象外にしていますし、同じく知的財産法としてくくられることの多い不正競争防止法も「事業者間の公正な競争」を確保する法律であり（同一条）、事業行為のみを規制しています。これに対して、著作権法は「個人的に又は家庭内」（同三〇条）を除いて広く規制している結果、事業として行っているのではない家庭外の多くの行為（例えば、ブログやツイッターでつぶやくこと）も、結果として著作権の規制の対象になってしまっているのです。

では、翻って著作権法は、結果的にその傘下に入ってしまった立場の異なる多様な当事者に対して、どのように接すればよいのでしょうか。従来のルールを何らか見直す必要はないのでしょうか。事業者とそれ以外とを同じルールで規制しようとするからこそ混乱が生じて合意形成も難しくなるのではないでしょうか。そのような疑問が生じてくるのも不思議ではないでしょう。

しかし、事業者でも中学生でも、コンテンツの流通に関しては同じインパクトを持った行為をすることが可能になった今、中学生を事業者のレベルに合わせるべきなのか、それとも、事業者の行為でも商業活動でない場合には、中学生と同一視して、もっと自由な利用を可能にすべきなのか、というのはとても難しい問題なのです。

### †無方式主義が生んだ問題

最後に、ベルヌ条約が採用した無方式主義が生んだ問題を見てみましょう。少し前にご紹介したように、無方式主義とは、登録などの特定の手続を取らなくても、海外では著作物が自動的に（創作行為をしただけで）保護される、という主義でした。この主義が採用された二十世紀初頭には、インターネットもなく飛行機も実用化されていなかったわけですから、無方式主義は合理的だったというお話をしました。けれども、インターネットで簡単に世界中にオンライン登録ができるようになった今の時代に、この主義を維持するのは合理的でしょうか。そのことには大きな疑問が発生しています。

ともあれ、ベルヌ条約が無方式主義を採用している結果として、何が起こったかといえば、権利者を登録しているデータベースがどこにもなく、権利者を探すのがとても大変だ、という問題が発生しているのです。このことは、前章の裁定制度のところで詳しくお話ししました。

この問題の解決策として、例えば、ＪＡＳＲＡＣのように、著作物をまとめて管理して、データベースを作り、組織的にライセンスをするような著作権管理団体を、音楽以外の分野でも充実させようということが叫ばれてきました。実際に、二〇〇八年の知的財産推進計画には、著作権の集中管理事業を拡大することが盛り込まれ、文化庁が懸命に権利者団体に働きかけた時期がありました。しかしながら、実際には、権利データベースやライセンス・システムの整備は非常に時間がかかっていて、いまだに充実したものが完成したとはとても言えません。それはなぜか。

なぜなら、権利者全員に参加を呼び掛け、作品の登録をしてもらうことだけでも、非常な手間とコストがかかるからです。そんなことをしなくても、すでに強力な権利が与えられているのに、どうしてわざわざ登録に協力しなければならないのか、権利者側にはインセンティブがあまり存在していないのです。

さらにいえば、仮に権利者が集まってきたとしても、JASRACのように、そのたくさんの権利者たちを一つの団体に取りまとめ、利用形態ごとに分かりやすいライセンス・プログラムを作ることは、想像以上に大きな手間がかかります。

例えば、ある権利者の団体が、自分の管理する作品を一回複製したら〇円、と決めようとしても、すでに名の売れた有名な権利者は、無名の権利者と同じ料金でライセンスする、という考え方にはなかなか合意しないでしょう。音楽の分野では、そのことが当然のように受け入れられていて、有名な作曲家・作詞家の作品は利用回数が多いから結果的には分配が多くなる、という考え方にあまり疑問を挟む人はいないようですが、それは長い歴史と習慣のなせる業だと伺いました。他の多くの分野では、むしろ、有名な権利者の作品は一回の利用料を高くする、という考え方に慣れている場合が多いでしょう。

そこで、権利者がどの程度有名であるかに応じて、異なるライセンスの料率を定めようとすると、今度は、利用者の側では、一人一人、利用料の金額や利用条件を確認しなければなりません。大量にコンテンツを利用するようなサービスでは、利用料を計算し報告書を作るのに膨大な手間とコストがかかり、大量のコンテンツを利用するようなサービスの立ち上げにとって負担となるでしょう。結果として、誰もが納得する著作権の集中管理制度を作ることとのコストが非常に高くて、どんなに文化庁が協力をお願いしても、そう簡単に実現はしないのです。むしろJASRACのような存在のほうが例外的であり、著作権制度が日本に入ってきた初期の頃に設立されたという歴史的な事情に支えられる部分が大きいと考えるべきなのでしょう。

しかし、このような集中権利処理体制は、権利者の所在が分かる、許諾を得るコストが低くなる、という意味で、社会にとってはとても有益な制度です。したがって、今後は、もっとインターネットのインフラを上手に使い、権利者だけではなく、ユーザーの力も借りてデータベースを作っていくようなことを志向してもよいのではないかと考えています。

例えば、ネット上に映画を公開して、そこに出演している俳優やかかっている楽曲の情報についてユーザーにタグを付けてもらえるような設計を工夫すれば、データベース作りはもっと早く進むかもしれません。もちろん、ネット上に映画を公開する段階で、本来は権利処理が必要なわけですから、今の著作権制度では直ちに合法にこのような仕組みを作ることは難しいのが現状です。しかし、技術的にこのようなことも可能になってきた今、その仕組みがもたらす長期的なメリットを考えて、なんとか実現させる方法はないのか、議論することはとても重要なことだと思います。

## †著作権法の悲劇の本質

以上、著作権制度の歴史から著作権制度の基本的枠組みをひもとき、その枠組みがデジタル・ネットワーク技術の波を受けてどのような問題を引き起こしているかを見てきました。結局、序章のたとえ話で見たように、法律が前提としていた社会状況があまりにも変化し、著作権制度の枠組みが社会に合わなくなってきていて、今や国民がこれを守ることがとても難しい内容になってしまった、ということが最大の問題なのです。

法律がどのように社会の規制を定めようとも、それが国民に遵守《じゅんしゅ》されなければ、その法律は絵に描いた餅です。このような社会と法律とのズレは、社会の実態に合わせて法律を改正することによって解消できる場合があり、それによってもたらされるメリットがデメリットよりも大きい場合には、法律改正を真剣に検討するべきなのです。もちろん、どんなに麻薬が横行しても麻薬を合法化するべきではないし、殺人が増えても殺人を合法化すべきではない。それは、たとえどれほど法執行のコストが高くても、これらの行為を合法化することの社会のコストのほうが明らかに大きいからです。

では、著作権の場合はどうでしょうか？　仮に、法律の改正によって得られるメリットとデメリットを比較検討したときに、メリットのほうが大きいと判断されれば、権利者と利用者の双方にとって、現状を改善することとなる法制度を設計することは、有益なことなのではないでしょうか。

そもそも馬車の時代に作られた法律の枠組みを、今、宇宙船で宇宙に飛んでいけるような時代にまだ使っていることがナンセンスなのではないかという疑問が生まれてきても当然です。交通ルールでいえば、今の自動車の時代の交通ルールと、馬車の時代にあった交通ルールは全然違うはずです。なぜ著作権だけがずっと同じでなくてはならないのか。活版印刷術の時代からインターネットの時代になり、人々の行為も変わったし、人々の意識も変わったし、一つ一つの行為が社会に与えるインパクトも変わりました。したがって、その時代に合わせて法律を変えていかなくてはおかしいのではないか、ということが、根本的に問われているのです。

しかし、著作権制度の一番の悲劇は、メリットとデメリットを比較した実質的な改正の議論にたどり着く前に、「そのような改正は、ベルヌ条約等の制約があるから不可能だ」という結論で、議論が終わってしまうことです。つまり、ベルヌ条約の基本構造は、そう簡単に変えられないのです。ベルヌ条約の二七条三項には、条約の骨子の改正は、加盟国一六四カ国の全員一致でなければ変えられない、と定められているのです（つまり、序章でご紹介したたとえ話と同じ問題が起こっているのです）。

ところが、今の世界の政治状況を見ると、南北対立が非常に激しい。アメリカやヨーロッパなど、いわゆる先進国と呼ばれている国は、どちらかというと自分たちが情報を作って世界中に輸出している側なので、著作権法をできるだけ強化しようとしています。他方、いわゆるＢＲＩＣｓやアフリカ諸国などは、自分たちが作るコンテンツを輸出して外貨を稼ぐよりも、他国が作ったものから得ることのほうが多いわけですから、当然、著作権法の強化には反対です。逆に緩めてほしいほどなのです。そういう多くの国が参加をしているベルヌ条約で、参加加盟国が全員一致で何かを合意するということは、今の国際状況ではほとんど考えられません。

ですから、法律を変えたいのだけれども変えられない、というデッドロックに入ったまま、抜け出せない状態になってしまっているのです。これが著作権法の最大の悲劇です。

これをいかに乗り越えるかは、長期的に世界中が協力して取り組まなければならない課題なのです。

# 第三章 技術と法律のいたちごっこ——間接侵害について

これまで、著作権制度がどのようなもので、今どんな問題に直面しているか、ということを概観してきましたが、その場合、念頭においていたのは、ある人（または会社）が、著作物を自分で利用する場合でした。

この章では、少し目先を変えて、「間接侵害」についてご説明したいと思います。これは、著作物をユーザーが楽しむようなサービスをしようとする場合や、著作物を利用できる機器やソフトウェアを開発したり販売したりする場合にとても重要なことですので、一章を割いて、少し深くご紹介してみようと思います。

## †直接侵害の例

間接侵害と対立する概念は、もちろん直接侵害です。今まで説明してきたのは、主として直接侵害の話でした。直接、自分が著作権法に違反する人のことを直接侵害者と言います。例えば、ユーザーが違法にアップロードされたものと知ってレコード音源をパソコンにダウンロードすることや、それをネットに再アップすることは、自分が複製したり公衆送信したりしているわけですから、直接侵害です。もちろん、個人が利用している場合に限られるわけではなく、企業が作品を利用して、直接侵害者になる場合もあります。

例えば二〇〇九年に話題を振りまいたのが、「コルシカ」というサービスです。このベンチャーは、自分のホームページで雑誌を売っていたのですが、雑誌を自分のサイトから買ってくれたお客さんには、その買った雑誌に限って、自社サイトにあるビューアーを使って電子版も閲覧できるようにする、という、考えてみれば、今盛り上がっている電子出版の流れを先取りしたようなサービスでした。

第一章で詳しくご紹介したように、もしも、ユーザーが雑誌を買って、それを自宅のスキャナーでスキャンしてパソコンに入れて見るとしたら、それは私的複製の例外（著作権法三〇条）にあたり、合法にできるわけです。このサービスでは、雑誌を購入した人に限ってオンライン版を見られる、という設計にすることで、このような作業を代行してあげている、というような感覚だったのではないかと思います。つまり、雑誌の購入者全員がスキャニングを一人一人自宅でやったとしても、それを企業がまとめてやって購入者に見せてあげても、結局、その雑誌を買った人だけが電子版にアクセスできることに変わりないわけだから、経済的には同じでしょう、ということです。

ところが、よく考えると、スキャンしているのは、雑誌を買っている個々人ではありません。会社が複製をしているわけであって、たとえ、建前としては雑誌購入者の代わりだ、と説明したとしても、複製をしている主体としては別な存在です。ですから、どう考えてみても、複製しているのは雑誌購入者だという説明はできないわけで、「家庭内」で雑誌を読むその人自身が複製しなければならない、という著作権法三〇条の範囲には入っていない、ということになります。そのため、多くの雑誌社から瞬く間にクレームを受け、なんとサービスインから一週間でサービス停止の憂き目に会いました。

その後、このベンチャーは、一生懸命、各雑誌社と、電子版を作って配信するためのライセンス交渉を行ったようです。確かに、雑誌は比較的場所を取るので、愛読者でも、しばらくすると捨ててしまったりします。けれども、捨てたあとになって、「あの特集よかったな、また読みたいな」と思うことも結構あります。そこで、その雑誌を常にオンラインで見られるようにして、かつ検索もできるようにすれば、雑誌に対する愛着も一層湧くかもしれません。もしかしたら、雑誌社にとっても、プラスの面もあるビジネスだったかもしれません。しかしながら、結局、雑誌社とのライセンス交渉はうまくいかず、二〇一〇年三月に、サービス自体を諦める、という発表をすることになりました。このような例は、企業が行っているサービスの例ですが、会社が自ら雑誌を複製しているから、直接侵害の例です。

## †間接侵害という考え方

これに対して、間接侵害では、その人（例えばサービス事業者）が複製などの利用をしているわけではないのです。サービスを利用しているエンド・ユーザーが複製をし、違法行為をしている、という事例です。サービス事業者は、間接的に何らかの形でそのエンド・ユーザーに関与はしているのですが、自分自身が複製しているわけではない。それでも、一定の要件を満たす場合には、著作権侵害の責任を負うことがある、という問題です。

具体的にはどんな場合なのか、そして、どうしてこんなことを考えるのか、ということを理解するために、まずは米国で実際に起きた事例をご紹介してみましょう。というのも、日本の間接侵害は、米国の議論にとても大きな影響を受けているからです。米国の実例で有名なものとして、「ソニー事件」があります。ご存知の人も多いかもしれませんが、これはソニーが一九七〇年代に初めてビデオ録画機を売って、テレビ番組を家で録画できるようにしたところ、ソニーが映画会社に訴えられた、という事件です。最高裁まで争われて、一九八四年の最高裁判決で決着しました。

なぜソニーが訴えられたか、見てみましょう。テレビで映画が無料で放映されているとします。そこにソニー製のビデオ録画機を接続して映画を複製しているのは、家庭にいる個人です。ソニーが録画しているわけではありません。したがって、ソニーの直接侵害ではありません（ちなみに、米国では、日本のように、私的複製、という明確な例外規定がないので、家庭内で作られるコピーも、一律に合法であるとは言いきれない、という事情がありま す)。しかし、そのビデオ録画器を売ることによって、ソニーはユーザーが複製すること を事実上手助けしているわけです。したがって、もしもユーザーの映画のビデオ録画が違 法だとすると、その違法行為を手助けしているソニーに対しても、何らかの責任を問うべ きではないか、ということで、映画会社はソニーを訴えたのです。

映画会社は、家で自分たちの映画が無断で録画されることを何としても止めたかったの です。今までそんな環境は存在していなかったのに、急にそんなことができるようになっ たら、みんな、録画したビデオを家で見て満足してしまうかもしれない。そうすると、映 画館に映画を観に来なくなる、またはテレビを見なくなってしまう、そうなればライセン ス収入が減ってしまう、という恐怖心が映画会社側に起きたのです。そこで、家でのビデ オ録画をなんとか止めさせようと思ったときに、録画している一人一人を訴えたら大変な ことになります。その代わりに、録画を可能にするデバイスを売っているソニーを訴え、 ソニーがデバイスを売れないようにすれば、結果的にはみんなが録画することができなく なって、非常に効率がいい、というわけです。

もちろん、効率が良い、というだけで自動的に責任を負わされたり、危険性を持つデバ イスがすべて禁止されてしまったりしたのでは、企業のほうはたまりません。

例えば、一番分かりやすい例が包丁だと思います。もちろん、世の中から包丁が一切なくなれば、包丁による殺人もなくなるでしょう。しかし、そうすることで困ることもたくさん出てきますから、誰もそんなことは考えません。そもそも、包丁でちゃんとお料理するのか、人を殺すのかというのは、元来ユーザーの自由意思であって、包丁を売っている人にとっては、全くコントロールできない話です。

このように、あまりにも自分がコントロールできないことについて責任を問われるのは、いくら効率的だと言われても、不公平ではないか。したがって、効率的な責任の負わせ方、という観点と、自分ではコントロールできないことについては責任を問うべきではない、という観点のバランスを取らなければなりません。間接侵害を考えるときには、どのような要件を課すことでこのバランスを実現するか、ということが重要になってきます。

## †米国の考え方の原則――寄与侵害と代位侵害

では、日本が強く影響を受けている米国の間接侵害のルールを見てみましょう。米国では、間接侵害の要件は、著作権法の条文には書いてありません。そのかわり、判例の積み重ねによって形成されてきた間接侵害の原則が二つあります。寄与侵害、代位侵害という二つの考え方です。この二つは、アプローチが少し違うものです。

一つ目の寄与侵害は、ユーザーが侵害していることを知っていて、それを誘発した、または自主的に貢献したことに着目して責任を問うものです。日本の民法や刑法の一般原則にも見られる、幇助《ほうじょ》の責任に近い考え方です。要するに、違法な行為があるということを知っていたのなら、それをやめさせるように努力することもできただろう、ということです。違法行為を知っているにもかかわらず、あえて手助けをしたり、あえて止めないで放置したのだとしたら、そのような人に責任を問うてもいいだろう、という考え方です。

もう一つの代位侵害という考え方は、ユーザーが侵害行為をしているか、していないかということを、間接侵害者が知っているかどうかは要件ではありません。侵害行為を防止することができる立場にあるにもかかわらずこれを防止せず、そのことによって利益を得ている人に対して、責任を問うという考え方です。

基本的には、これは、民法の使用者責任の考え方に非常に近い考え方です。使用者責任という言葉を聞いたことがあるかどうか分かりませんが、ある会社の従業員が何か違法行為をしてしまったときに、その従業員が責任を負うだけではなく、その従業員を雇っている使用者、つまり、企業のほうも同時に責任を負う、という考え方です。

企業は自分の手足として従業員を使って利益を得ているわけですから、その従業員が自分の利益に貢献する行為を行った場合の効果も企業に帰属する反面、その従業員が悪いことをしたときの責任も同じように企業に帰属しないとバランスが取れないだろう、という考え方なのです。代位責任も、これに似た考え方だと言ってよいでしょう。

### †ソニー判決

それでは、ソニー事件にもどって、その結論を見てみましょう。ソニー事件は、先ほどもご紹介したとおり、テレビ番組を録画できるビデオ録画機を売っていたソニーが、映画会社から訴えられてしまったという事例です。このとき、米国の最高裁判所は、権利者の効率的な救済と、第三者が侵害と本質的に関係のない行為を行う自由とのバランスを取らなければならない、と明確に判示しました。

そして、そのバランスを取るためにソニー判決が打ち出した基準が、その後、何度も引用されて、今でも米国でよく議論を呼んでいる基準です。複製機器の販売は、他の商品の販売と同様に、合法的な目的のために広く用いられるものであれば、寄与侵害を構成しない。つまり、「非侵害となるような実質的な使用」("substantial noninfringing uses")をすることのできるものは、違法にならない、という基準を打ち出したのです。

要するに「合法にも違法にも使えるような機器の場合には、合法に使える用途が実質的なものとして存在していれば(もちろん、形式的に取って付けたような合法的な用途はだめです)、その機器を配っていることだけで寄与侵害になることはない」ということです。

では、この事件で問題になっているソニーのビデオ録画機には、そのような実質的で合法的な使い方はあるのか、というのが次の問題です。最高裁判所は、この問題について、次のように考えました。このビデオ録画機を買った多くの人が、無料のテレビ番組が放映されている時間にちょうど家にいないため、帰ってきてから見ようと思ってテレビ番組を録画している。そして、このように、無料テレビ番組を一度録画して視聴時間をずらして見たとしても(これを「タイム・シフティング」と言います)、権利者は別に何も失うものはないでしょう、むしろ、全く見ることができないよりは見てもらったほうが嬉しいという権利者もたくさんいるでしょう。だから、タイム・シフティングは、フェア・ユースで合法だ、と判断したのです。そして、このような実質的で合法的な使い方が存在している機器だから、これを売っているソニーは、著作権侵害の間接責任を問われることはない、と結論づけたのです。

この事件は、米国の最高裁判所では珍しいことに、二年間かかって審理された事件です。通常、米国の最高裁判所では、審理期間が決まっていて、その間に審理したものはその年のうちに判決を出します。ところが、ソニー事件では、一年目に審理をしたときに、あまりに最高裁の中で意見が分かれてしまって、結論が出なかった。そこで、もう一年持ち越して、その次の年にもう一度審理をして、判決を出したのです。

その一年間の間に、ビデオ録画機やタイム・シフティングは米国社会にますます浸透していきました。そこで、二年目にこの事件の審理をしたときには、今さらこれだけ社会に浸透してしまった行為を違法だとすると、世の中が大混乱になるのではないかという点が懸念されて、裁判の結論にも影響を与えたのではないか、という憶測もされています。いずれにしても、九人の裁判官が、五対四の一票差で、合法という判断をしたのです。

当然、ソニー事件に最高裁で負けてしまった映画会社は、当時非常に憤慨したことでしょう。しかし、最高裁で決着がついてしまった以上、その結論を前提にして、映画会社は自分たちのビジネスモデルを作らなければならない必要性に迫られることになりました。そこで、家で映画を録画することを禁止しようという発想を捨てて、むしろその家庭にあるビデオ録画機を使ってビジネスをしよう、という発想に切り替えたのです。

今では、皆さんは、映画がリリースされれば、その半年後くらいにレンタルビデオやセルビデオがリリースされるのは、当然のことだと思っているかもしれません。しかし、ソニー最高裁判決以前は、映画業界は、むしろ、ビデオという存在自体を敵視していて、それをビジネスに使おうという発想はなかったのです。このソニー判決以降、ビデオを禁止できないのなら、むしろ、テレビを録画したものよりも画質が良くコマーシャルも入っていないものを、映画会社が自分で正式に売っていこう、という発想に変わりました。そして、この流れが、実際には映画会社にとても大きな利益をもたらすことになったのです。

これは非常によく知られていることですが、今や米国でも日本でも、映画館での上映収入よりもビデオグラム販売による収入のほうが多いのです。二〇〇九年の日本の数字ですが、映画館での興行収入が邦画と洋画と合わせて二〇六〇億円です。これに対しビデオグラムの収入が三二六一億円なのです。このように、ビデオグラムでの収入は、映画の採算にとってなくてはならない存在にまで育ったわけです。ですから当時、ビデオ機器が世の中に普及していって、それを止められなかったことについて、映画会社は非常に憤慨したのですが、結果的にはそのほうがよかった、ということになるわけです。何が自分たちにとってプラスかというのは、短期的には判断できない要素も多いことを示す例として、米国ではよく引き合いに出されます。

つまり、法律で考えるとどうなるか、ということ（例えば、勝手に複製されているのは違法だからすぐ止めさせなければ、と考えること）だけではなくて、ビジネス的にはどうすればプラスになるのか、という点もトータルで考えなければならない、ということなのです。冷静に考えれば（またはビジネスが専門の人にとっては）当たり前のことなのですが、とかく、法律家はこの点を見失いがちだということが、米国の法律家の間で自戒を込めて議論されています。

## †ナップスター判決

ソニー判決から一五年近くが経って、二〇〇〇年頃から、再び間接侵害が非常に注目を集めるようになりました。その背景として、皆さんもご存知のとおり、ネット上のファイル・シェアリングで音楽がどんどん流通して、CDが売れなくなっていったという社会現象が挙げられます。ソニー判決における映画会社同様、レコード会社は非常に怒りました。

そこで、ユーザーが勝手に音楽をネット上で交換する行為をなんとか差し止めようとして訴訟が提起されました。その最も注目された判決に、ナップスター（Napster）判決があります。日本でもナップスターというサービスが二〇〇六年から二〇一〇年五月まで存在していましたが、このサービスはもちろん、米国の訴訟を経たあとでの合法的な音楽配信サービスです。しかし、米国で登場した当初のナップスターは、このような合法サービスではなく、単にピア・ツー・ピア（P2P）のソフトウェアを会社が配ってユーザーのファイル交換を可能にしていたにすぎませんでした。

その仕組みは次のようなものです。まず、ナップスターのサイトから、ユーザーがミュージックシェアというソフトウェアを自分のパソコンにダウンロードします。そして、自分のパソコンに入っている楽曲を指定のライブラリに保存すると、そのファイル名だけがナップスターのサーバに送られます。楽曲自体が送られるわけではないのですが、そのファイル名（多くの場合は、楽曲名や歌手名などが含まれたもの）がサーバに送られるわけです。ナップスターでは、この仕組みを基に、どの人がどんなファイルを持っているかという情報を集約します。そして、このサービス上で楽曲を検索する他のユーザーに対して、集約したファイル名の情報を表示し、ほしいファイル名をクリックさせます。クリックされると、ナップスターはユーザーどうしのパソコンを直接接続させて音楽ファイルの交換をスタートさせる、という仕組みです。

この事例でも、先ほどのソニー判決同様、実際に音楽ファイルをやり取りしているのはユーザーどうしです。したがって、このナップスターという会社は、自分が音楽ファイルの複製をしているわけではないのです。しかし、ナップスターが自社サーバにファイル名を保存したり、それをユーザーに検索させたり、ユーザーのパソコンどうしを接続させたりしているから、このファイル交換が実現しているのです。そういう意味では、ナップスターはユーザーのファイル交換に貢献はしているわけです。ナップスターのサーバがなくなれば、誰もファイル交換ができなくなるので、レコード会社は、ナップスターのユーザー一人一人を訴えるのではなく、ナップスターの行為を差し止めてほしい、として間接侵

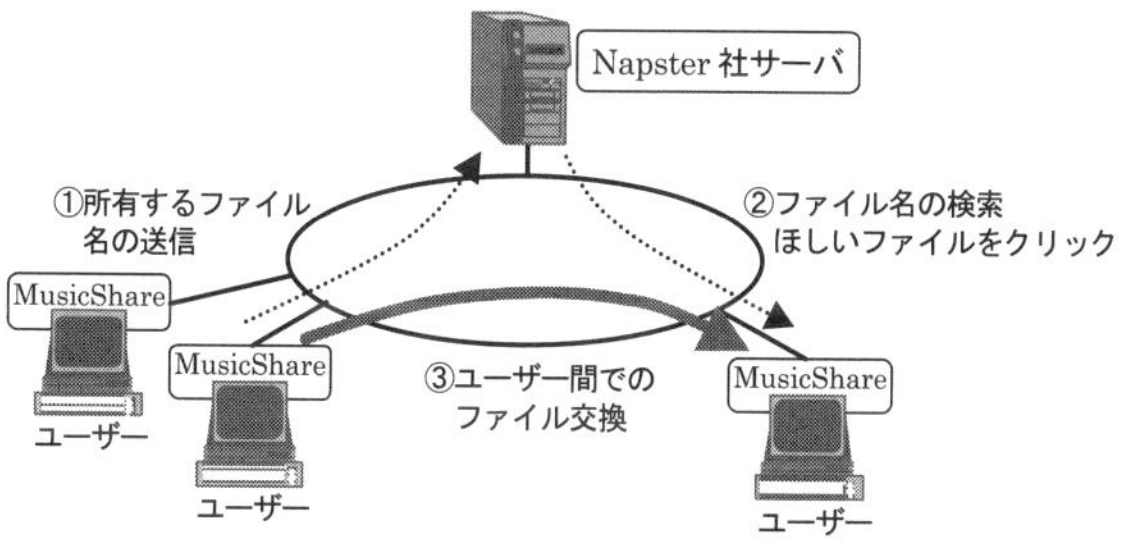


米国におけるナップスターの仕組み

害を主張して訴訟を提起したわけです。

ナップスターはこの訴訟で、完全に敗訴しました。地裁の判決が二〇〇〇年、その後の控訴審判決が二〇〇一年に出ています。判決では、ナップスターがユーザーによる著作権の侵害行為（具体的にはファイル交換による無断の複製行為）を知っていながらこれを奨励・幇助しているということで、寄与侵害を認めています。加えて、代位侵害も認めました。ユーザー一人一人の違法行為を具体的に知っている・知っていないにかかわらず、ナップスターはファイル名を管理している。そして、この管理行為によって利益を得ている、という判断です。ナップスターは、ソフトウェアの使用に対してユーザーに課金はしていなかったので、売り上げは存在していなかったのですが、それでも、ナップスターのサービスのユーザー数がどんどん増えていけば、コミュニティが大きくなって、将来的にそこからお金を取れる可能性が高くなってきます。この、潜在的に利益をあげる可能性だけでも、代位侵害にいう「経済的な利益」だと認定されたのです。

ソニー事件の場合は、デバイスを実際に売っているわけですから、そこから経済的利益を得ているというのは明らかです。しかし、別に有償でソフトウェアを配っていなくても、そこに人が集まってくれれば、あとでそのコミュニティからお金を回収することは、いくらでも可能です。例えば広告を貼るとか、途中で有料サービスを追加するとか、いろんな可能性があるでしょう。第九巡回控訴裁判所は、著作権侵害によってこのように人を集めていれば、それだけで経済的利益を得ていると言えると判断したのです。

これに対してナップスターは、先ほどのソニー判決を引き合いに出して反論を試みました。確かにこれは、ソニー事件のようなタイム・シフティングではないけれど、プレイス・シフティングという似たような行為だ、と主張したのです。例えば、私が家にデスクトップのパソコンを置いていて、そこにCDの音源を全部入れているとします。職場でも音楽を聴きたいなと思ったときに、職場には音源がないから、家のパソコンから場所を移して職場で聴こうと思う。このような移動は、自分のテリトリー間の移動だから、米国でいえばフェア・ユースの範囲内だ、という主張です。場所をシフトするという、実質的で合法的な利用方法がある、だからソニー判決の基準をあてはめれば、このソフトウェアは合法な道具なんだ、というわけです。加えて、このソフトウェア上では別に違法なCD音源だけが交換されているわけではなく、売り出し中のアーティストが合法に自分の曲を配布することもありえます。これらの交換も完全に合法な利用であり、ソニー判決のいう「非侵害となるような実質的な使用」がある、と主張したわけです。

けれども、米国の裁判所は、スペース・シフティングはそもそもフェア・ユースではないと判断しました。ソニーのビデオ録画機は、ユーザーが購入したあとは完全にソニーの手を離れており、タイム・シフティングは第三者への流通を構造的に含まないのに対し、ナップスターはユーザーに継続的に関与している点、ファイルを流通させる点で、ソニー判決とは事案が異なるとして完全に区別したのです。

## †グロックスター判決

こうなると、技術と法律は、いたちごっこの様相を呈してきます。次にグロックスター(Grokster)判決を見てみましょう。ナップスターとはまた仕組みの違うP2Pソフトウェアを作って配布する法人が出てきました。グロックスターという会社です。日本でいえば、ウィニー(Winny)と同じような仕組みのソフトウェアです。

どんな仕組みかというと、グロックスターは、P2Pファイル交換が可能なソフトウェアを作って、自分のウェブページにそれを置いているだけなのです。ユーザーがそこからソフトウェアをダウンロードしたら、もうあとはユーザーとの関わりは一切ないのです。ナップスターのように中央サーバもなければ、ファイル名リストもない。完全にユーザーとユーザーの間のやり取りのみでファイルが交換できる仕組みになっています。

そうすると、グロックスターという会社は、ユーザーのファイル交換に一切関与していませんから、ユーザーの違法行為にあたって管理も支配も何もしていないので、代位侵害になる余地はありません。また、一回ソフトウェアがユーザーによって自社のホームページからダウンロードされたら、その後はユーザーと会社は全く無関係です。一体、誰が使っているのか、どんな使い方をしているのかも全く追跡もしていないのです。寄与侵害では、誰かが行っている具体的な侵害行為を知っていなければいけないので、寄与侵害にもならない。

結局、代位侵害にも寄与侵害にもならない、ということで、実際に、第一審でも第二審でも、グロックスター側が勝訴しました。会社は単にソフトウェアを配っているだけでそれ以上何もしておらず、そのソフトウェアを著作権侵害という悪い目的に使っているユーザーがいけないのであって、会社は責任を負わない、という結論になったのです。

ところが、この判断は、二〇〇五年に出た最高裁判決で逆転したのです。会社は、ソフトウェアをダウンロードさせる以外には何もしていない、という事実関係は同じにもかかわらず、それでもグロックスターは違法だ、ということになったのです。これも米国で大議論になった判決です。

一般論としては、最高裁は、ソニー判決と同様に、著作権保護により創作を支援することと、著作権侵害の責任が成立する場面を限定することにより技術的なイノベーションを促進することのバランスを取ることが重要である、というバランス論を強調しました。つまり、著作権を保護するという要請もあるけれども、ツールが違法な使われ方をしたら何でも間接責任だということになると、新しいツールを作って世の中に提供しようという技術的なイノベーションにブレーキがかかってしまう。したがって、やりすぎてもいけない、ということです。

日本の判決では、こういう政策的な一般論を書くことは少ないのですが、米国はこのような一般原則を大事にする国で、非常に参考になります。日本でも、こういう視点は、今後ますます重要になってくると思います。

さて、最高裁はこの一般論に続けて、確かにグロックスターは、ソフトウェアを配ったあとは、全然ユーザーを管理も支配もしていないし、ユーザーがどのように使っているか知りもしないのだけれども、ソフトウェアを配布したときの態度がいけなかった、というところに責任の所在を求めてグロックスターを違法としたのです。

具体的には、グロックスター社がこのソフトウェアを配ったときに、著作権の侵害を助長するような明示的な表現または積極的手段をとることによって、著作権侵害を促進する目的があると認められる場合には、（そのソフトウェアに合法的な利用方法があったとしても）そのソフトウェアを利用して行った第三者の違法行為について、責任を負う、と判断したのです。ただし、単に第三者がそのソフトウェアを使って侵害行為を行えることを抽象的に知っているだけでは足りない。これを積極的に推進する行為を行ったかどうか、という基準を打ち立てたのです。例えていえば、自分が犯罪の実行行為をしているわけではないけれども、犯罪をしろといって道具を渡したから違法である、というような考え方に近い考え方です。

このように、自分が違法行為をしなくても、違法行為をそそのかしたことに責任を求める、という考え方は、例えば、日本の刑法でも「教唆罪《きょうさざい》」として処罰の対象になっています。米国でも、著作権法以外の分野で幾つかこのような「そそのかし」の責任が問われている分野があって、最高裁判所はその原則を著作権法の世界に持ち込んできたのです。

この訴訟で具体的にグロックスターのどんな行為が「そそのかし」に該当すると判断されたかというと、グロックスターのソフトウェアの配り方というか、宣伝の仕方でした。グロックスターは、ナップスターがちょうど裁判で負けた二〇〇一年に登場し、元ナップスター・ユーザーに対してニュースレターを配って、自分のソフトウェアを使えば有名な音楽にアクセスできると紹介したり、「ナップスター」や「無料ファイル交換」を検索する人を自分のサイトに誘導するようにしたり、ソフトウェアを用いた著作物の探し方や再生の仕方等に関する質問に答えたりしていたのです。最高裁は、これらの事実に加えて、グロックスターが、侵害を減少させるような技術的な手段を講じず、広告を配信して収入を得ていたことを指摘し、違法な意図を持っていることは明確であり、したがって責任を負うべきである、と認定したのです。

## †日本における間接侵害の状況

さて、米国の議論はこのくらいにして、では、日本の状況を見ていきましょう。米国と同様、二〇一〇年の段階では、明文規定はありません。今、明文規定を立法しようとしていて、文化庁の審議会で議論がされている最中です。

ところが、そんなことを言っている間に、日本でもナップスターと似たようなサービスを始める企業が登場したり、ウィニーという、グロックスターと似たソフトウェアが出てきたりして、権利者は、立法を待つまでもなく訴訟を提起するなどの対応を迫られることになりました。裁判所としても、条文がないからといって門前払いもできず、その結果、次に述べるカラオケ法理という昔からある法理が活躍することになったのです。

### †カラオケ法理

カラオケ法理というものが最初に最高裁判所で判断されたのは、昭和六十三（一九八八）年のことです。JASRACには俗に「カラオケGメン」と呼ばれる人たちがいて、全国のカラオケショップに行って、著作権料を払っているかどうかをチェックしていると言われていますが、クラブキャッツアイというカラオケスナックが未払いであったことが発覚し、JASRACがこのスナックを訴えたのです。

これもよく考えると、直接、音楽を演奏して著作権法に違反しているのはカラオケを歌っているお客さんのほうです。クラブは何しているかというと、カラオケ用の機器を購入して操作したりはしていますが、基本的には場所を貸しているだけで、自分が歌を歌っているわけではないのです。とはいえ、クラブに来ているお客さん一人一人を訴えるわけにもいかず、クラブの責任は問うことはできないのか、ということが問題になりました。そこで最高裁は次のように判断したのです。

お客さんはクラブと無関係に曲を歌っているわけではない。お客さんはクラブの従業員に曲を歌いませんかと勧誘され、選曲操作を含め、そのクラブの管理の中で歌っています。

それによって、クラブの雰囲気もよくなり、売り上げも上がって、クラブには営業的な利益があります。このように、直接侵害をしているお客さんを管理をして利益を得ていると いう条件がある場合には、お客さんが歌っているのはクラブが歌っているのと同一視すべきだ。つまり、自分が直接侵害しているのと同一視すべきだ、というのです。これは、先ほどご紹介した、米国の代位侵害にとても似た考え方だといえます。

この判決が、カラオケに関連する事件だったことから、この最高裁で示されたこの法理は、よく「カラオケ法理」と呼ばれます。まとめると、直接侵害をしている人に対する管理支配の要件があることと、それを営利目的でやっていること。この二つが、日本における、いわゆる間接侵害の要件として、この判決以来、用いられてきたのです。

なぜ、「いわゆる間接侵害」と、少し奥歯に物の挟まったような言い方をするかというと、日本は米国のような判例法の国ではなく、制定法の国ですから、法律に明確な規定がないと、その違法行為の差し止めができないのです。そこで、最高裁も、「間接侵害である」とは言わずに、すでに立法されている直接侵害と同一視すべきだ、と言って、それを理由に差し止めを認めているのです。けれども、ここでは、便宜的にこれを日本版の「間接侵害」と呼ぶことにしましょう。

## †ファイルローグ事件

　このカラオケ法理は、この後、著作権をめぐる様々な文脈で争われているのですが、何といっても有名なのは、二〇〇三年に東京地裁の中間判決で判断されたファイルローグ事件、いわゆる日本版ナップスター事件です。

　ファイルローグというサービスは、先ほどご紹介したナップスターとほとんど同じサービスで、MMOという会社がやっていました。彼らも違法だと訴えられるリスクがあることは認識していたものの、あえて、中央サーバを立ててサービスをすることにしたのです。そして、とりあえずサービスを始めてみて世の中で議論を生み出しつつ、ユーザーを増やしながら権利者ともライセンス交渉をして、最終的に合法なサービスに育てていきたい、このようないわば著作権法的にグレーな分野に挑戦することこそがベンチャーの使命だと考える、といってサービスを開始したのです。

　この事件で裁判所は、MMOの責任を検討するにあたって①MMOの行為の内容・性質、②利用者のする送信可能化状態に対するMMOの管理・支配の程度、③MMOの行為によって受けるMMOの利益の状況、などを総合斟酌《しんしゃく》して判断すべきである、という基準を示しました。先ほどのカラオケ法理と基本的には似ている基準ですが、①が付け加わって、少し進化しています。

その上で、基本的には、サービスの性質としては、違法な曲のやり取りが九六・七%を占めており、極めて違法性が高いものだ、と判断しました。また、ユーザーの管理支配としては、中央サーバを立ててファイル名を管理し、ユーザーはこのファイル名のリストを基に実際のファイルをやり取りしているので、要件を満たすとされました。そして、このサービスはその時点では無料でしたが、将来、有料化する計画がある。また、人気が出れば広告収入を得る可能性もある。したがって、MMOは利益を受けていると認定されました。よってMMOは自分が違法なファイル交換を行っているのと同一視すべきだと判断されたのです。

その結果、このサービスは裁判所の差し止め命令を受けることになり、中止に追い込まれることになりました。もちろん、P2Pのファイル交換サービス自体は、自分が作った作品を交換するなどの合法的な使い方もできるものです。それでもこのサービスが違法になった一番の要因は、おそらく、違法なファイル交換の比率があまりにも高かったせいではないか、と著作権弁護士の間では議論されています。

このように、日本では、まだ立法がなされていないのですが、米国と同様にユーザーが行っている違法行為について、それをサポートするサービスや機器の販売行為が違法になる可能性があります。ですから、サービスや機器を提供する企業は、その内容をよく検討しなければならないということになるのです。

## †ウィニー事件

その後、グロックスターと同じように、完全にユーザーどうしでファイル交換が可能なウィニー（Winny）というP2Pソフトウェアが日本でも有名になりました。そして、「ウィニー事件」が起こったのです。当時、東京大学の助手だった金子勇さんが、このソフトウェアを開発して配っていたら、ある日突然、京都府警が踏み込んできて、逮捕されてしまったという事件です。

今までご紹介した事件は、米国のものも日本のものも、全部民事事件でしたが、これは刑事事件です。もちろん著作権の侵害には民事責任だけではなく刑事責任もあって、罰金刑や懲役刑もあります。しかし、基本的には、めったなことがない限り、刑事事件にまで発展しません。

では、実務の現場では、民事と刑事をどのように使い分けているかというと、そこにはいろいろな考慮があります。例えば、民事訴訟では自分で証拠集めをしなければいけないし、自分で弁護士費用を払わなければいけません。他方、刑事事件では、警察が国家権力を使って、その人の家宅捜索をし、パソコンの中も全部見て、証拠を集めていきます。しかも、弁護士費用もかからない。また、権利者が表に立って訴訟をするということがないので、誰が警察に告訴したのか、ということがあまり表面化しない場合も多いのです。そのため、権利者からすると、ユーザーに恨まれないで権利行使ができる、というよさがあると言われています。

先ほど、米国では、レコード会社がナップスターやグロックスターを訴えた、というお話をしましたが、米国のレコード協会は思い余ってP2Pで音楽のファイル交換をしているエンド・ユーザーも、七〇〇〇人以上訴えています。その結果、ますます音楽ファンのレコード会社離れが進んだ面がある、と噂されています。もちろん、CDを買わないで、違法に音楽を手に入れるのはどうなのかという問題はあるのですが、そんなことをやる人は、たいてい、基本的に音楽が好きな人たちです。その人たちを直接訴えるということは、ある意味、自分のファンを訴えているのと同じで、企業としては心情的にすごくやりにくい面があるわけです。

日本でも、漫画の世界では、原作のキャラクターを他のクリエイターが利用して二次創作をする同人誌のマーケットがあるのに、どうして権利者は訴えないのだろう、という話があります。実際には、よく調べると、権利行使をした事例は過去に幾つかないわけではないのですが、ほとんどの事例では権利行使はなされていません。

その理由の一つとしては、ファンでもあるだろう同人誌作家の人たちを訴えるよりも、その人たちに盛り上がってもらったほうが、原作もより広く知られて売れるようになるため、よほどのことがない限りは、放っておいたほうが得だという計算が働いているのではないかと言われます。直接ファンを訴えることで、その作家や出版社がファンから恨まれるのは、できれば避けたいということなのでしょう。

その点、刑事告訴をして警察が動くと、誰が告発したかは明らかにならない場合もありますし、その後の法的手続きでも直接対立する立場に身を置くわけではないので、恨みを買わずに権利行使をすることができるのです。

これだけを考えると、民事事件にせず、全部刑事事件にしたほうが得ではないかと思うかもしれません。しかし、警察は本当にこれは悪質だという場合にしか動きません。基本的には、警察には「民事不介入の原則」というものがあって、「経済的なもめごとは、民事裁判でやってください」と追い返されるのがほとんどなのです。特に、会社と会社の間の争いには、基本的にこの原則があてはまります。例外的に、海賊版業者については、会社であっても刑事事件として動いていることがよくありますが、これは、本当に会社が倒産しても痛くもかゆくもないモラルのない人たちで、最終的に刑務所に入れるぐらいのことをしないと、悪事をやめない、ということがしばしば理由になっています。つまり、そのようなある一定以上の悪質な事件に対してしか、警察は動いてくれないのです。

さて、ウィニー開発者の金子さんがなぜこの「悪質な事件」に該当したのかはともかく、金子さんは逮捕され、京都地裁判決で罰金二〇〇万円の有罪になりました。この判決で、京都地裁は次のように述べました。ウィニーが、不特定多数の人によって違法な著作物のやり取りに広く利用されているということを知っていながら、その状況を容認し、あえてウィニーの最新版を公開・提供したことに責任がある、と。ウィニーの場合も、先ほどのグロックスター事件と同じで、ソフトウェアをダウンロードした人は、一人一人が自分の意思でパソコンを使って操作しているわけですから、これが合法に使われるのか違法に使われるのかということは、全く金子さんのコントロール外です。ですから、京都地裁は、ソフトウェアの開発という行為に着目したのです。

例えば、ものすごく便利なソフトウェアを作って、皆が当然合法な目的に使うだろうと思って提供したら、ユーザーが勝手に違法に使い始めたとしましょう。それだけなら、ユーザーの違法行為に対して、開発者は無関係ともいえるでしょう。しかし、そのソフトウェアをみんなが違法に使っていると知りながら、さらにバージョンアップ版を提供しているのは、違法行為を助長していることにあたる、と京都地裁は考えたわけです。

ところが、これはソフトウェア会社にとっては非常に恐ろしい判決になりました。一般に販売されているほとんどのソフトウェアは、違法行為に使おうと思えば使えます。どこの誰がどういう違法行為をしているか、その詳細を知らなくても、ユーザーが違法に使っている場合もあると認識している会社はたくさんあるでしょう。その認識を持ちながら、バージョンアップ版を提供しただけで違法となると、世の中のソフトウェア会社はほとんど違法となってしまうのです。

金子さんをなんとか違法にしようと思って、京都地裁としてはバランスを取ったつもりだったものの、京都地裁の基準では、違法になる範囲が広すぎるのではないか、ということが問題となりました。そこで、控訴審の大阪高裁では、責任の基準が厳しくなった結果、金子さんは無罪になったのです。

大阪高裁はまず、次のようにソフトウェアの性質を判断しました。ウィニーのファイル共有機能は、P2P通信において、匿名性と送受信の効率化、ネットワークの負荷の低減を図った技術を中核とするもので、その技術や機能を見ると、著作権侵害に特化したものではない。むしろ、ウィニーは、合法にも違法にも使える価値中立なソフトウェアだ、と判断したのです。

したがってそれをダウンロードした人が違法に使ったという場合に、開発者も違法かどうかを問うにあたっては、ソフトウェアの提供者が、不特定多数の者のうらには違法行為をする者が出る可能性・蓋然《がいぜん》性があると認識し、認容しているだけでは足りない、としました。それ以上に違法行為の用途のみに使いなさい、または違法な用途を主要な用途として使いなさい、とインターネット上で自分が積極的に勧めてソフトウェアを提供している場合にだけ刑事責任を問われる、と判断したのです。

大阪高裁は、京都地裁に比べて、より技術開発の自由や新しいソフトウェアのイノベーションに対して配慮した基準を打ち立てたということができます。これによって、いったん、ソフトウェア会社の心配は解消されました。しかし、この判決は二〇一〇年現在、最高裁判所に上告されていますので、最終的な最高裁の判断が待たれるところです。

**†ロクラク事件**

民事事件では、ウィニー事件と同じ頃、ロクラク事件といって、日本で放映されているテレビ番組をインターネットを通じて海外で見られるようにする、というサービスをテレビ局が訴えた事件が起こりました。テレビ局は、地域を区切って番組を販売していますから、日本だけ、という条件で放映している番組が海外で自由に見られるようになってしまうと、ビジネスモデルが崩壊する恐れがあるということで、危機意識を持っていたのです。

そこで訴訟になったわけですが、二〇〇八年の東京地裁の第一審判決では、サービス事業者が自分で複製しているという認定で違法となったのに対して、二〇〇九年の知財高裁の控訴審判決では、録画しているのは海外に住んでいる個人ユーザーであり事業者ではない、と認定されてサービス事業者が逆転勝訴するという結果になりました。知財高裁は、「子機ロクラクを操作するかしないかは、すべて利用者の意思に委ねられているのであるから、カラオケ法理を無制限に拡張して、控訴人が主体的に録画・視聴に関与していると の評価を行うことは、擬制に過ぎ、不当である」と判断したのです。第一審で勝訴し、他の類似サービスをめぐる訴訟でも勝訴していたテレビ局は、高裁でも当然勝訴すると考えていて、この逆転判決に大変衝撃を受けました。

なぜ地裁と高裁で判決の結論が違ってしまったのか、ということについては、いろんな意見がありますが、ここで言いたかったことは、同じ事実関係であっても、裁判官の捉え方によって、真反対の結論になってしまうということです。

このサービスでは、日本のサービス事業者と海外のユーザーとの二カ所に複製機器が分散して存在していて、複製行為についても、予約をするユーザーとテレビを受信して海外に送信する手助けをしているサービス事業者の間で分担しています。したがって、この両者のうちで、どちらがいわば主役なのか、という判断の違いによって、さらには、このようなサービスは新技術の恩恵として取り入れるべきなのか、従来のビジネスモデルを揺るがすものとして禁止すべきなのか、という価値判断によって、結論が逆になってしまうわけです。

例えば、ロクラク事件の知財高裁判決は、このサービスを合法と判断した理由を以下のように述べています。少し長くなりますが、引用します。

我が国と海外との交流が飛躍的に拡大し、国内で放送されたテレビ番組の視聴に対する需要が急増する中、デジタル技術の飛躍的進展とインターネット環境の急速な整備により従来技術の上記のような制約を克服して、海外にいながら我が国で放送されるテレビ番組の視聴が時間的にも経済的にも著しく容易になったものである。そして、技術の飛躍的進展に伴い、新たな商品開発やサービスが創生され、より利便性の高い製品が需用者の間に普及し、家電製品としての地位を確立していく過程を辿ることは技術革新の歴史を振り返れば明らかなところである。本件サービスにおいても、利用者における適法な私的利用のための環境条件等の提供を図るものであるから、かかるサービスを利用する者が増大・累積したからといって本来適法な行為が違法に転化する余地はなく、もとよりこれにより被控訴人らの正当な利益が侵害されるものでもない。

つまり、知財高裁の裁判官は、このように新しく可能になった技術は積極的に社会に取り入れていってよい、という判断をした、ということなのです。この事件は、二〇一〇年現在、最高裁判所に上告されていて、最高裁の判断が待たれています。

このように、日本における間接侵害の議論は、誰が侵害主体なのか（つまり、直接侵害をしている人と同一視できるのか）、という形で議論されるのですが、この議論は、事実関係によっては実は非常に不安定な議論だということをロクラク事件は示しています。特に、サービス事業者とユーザーが著作物の利用行為の一部をそれぞれ分担しているような場合には、間接侵害の結論についての予測可能性は、かなり低くなってしまうのが実状です。これからネットサービスをしようとする人にとっては、どこで合法と違法の線引きがされているのかを予測するのが非常に難しいのです。

私も弁護士として著作権訴訟や特許訴訟をやっていますが、間接侵害の問題に限らず、著作権訴訟は、本当に難しい訴訟です。なぜかというと、結局、どちらにも転びうるようなことがたくさんあるからです。例えば、Aという作品を基に作ったBという作品があって、似ているといえば似ているが、違うといえば違う、ということはしばしばあります。

それを裁判官が似ていると思ったら、その案件は侵害だし、似ていないと思ったら侵害ではなくなるのです。

誰が何をしているかという事実自体には、当事者間で争いがない。そういう意味ではたいへん特殊な訴訟です。普通の民事訴訟というのは、お金を返したか、返さないか、というような事実について争いになっている場合が圧倒的に多いのです。ところが、ロクラク事件などでは、サービス業者が行っている事実については誰も争わず、それを見た裁判官が、録画を実際にやっているのはユーザーであると見るか、会社であると見るかという、評価の違いで結論が正反対になってしまっています。特にこういう新しい分野では、まだ、誰も判断したことがないことが争点になり、裁判官がどちらに転ぶのか誰にも予想がつかない点が難しいのです。

## †日本での立法の動き

以上、間接侵害について、いろんな事件をご紹介しながら現状を見て来ましたが、なかなか難しい議論がなされていることが分かります。そこで、この際、特許法にあるように、著作権法でも、どのような場合に間接侵害が成立するのかについて、きちんと条文を作ったほうがいいのではないかという議論がされ始め、二〇〇五年から文化庁の審議会で審議されています。二〇一〇年現在、検討も最終段階に入りつつあるようなので、近い将来に具体的な条文の案が提案されていくことでしょう。その内容に是非注目していただきたいと思います。

# 第四章 ハリウッドが著作権の世界を動かす

ここまで、現在の著作権制度の仕組みや問題点を見てきました。第二章では、デジタル・ネットワーク技術の波の中で、著作権制度が、当初設計したときには思いもしなかった問題を抱えるようになってしまったというお話をしました。特に、日常頻繁に行われるたくさんのコンテンツを使った行為の多くに著作権の網がかかるようになってきて、かつて自由だった作品へのアクセスやインプットまでが著作権制度の中に入りつつある、という問題をご紹介しました。第三章では、さらに、間接侵害という考え方で、直接に侵害行為をしていない人にも責任が拡大する場合があることをご説明しました。

こうした話をすると、読者の皆さんの中には、著作権の規制は広がりすぎてしまったのではないか、バランスを取るには著作権制度の規制を緩めなければいけないのではないか、とお思いになる方もいらっしゃるのではないかと思います。ところが、現状はその逆の方向に進みつつあります。著作権制度は、どんどん拡大を続けているのです。

どうして著作権制度は拡大し続けているのか。そのメカニズムを見てみましょう。

### †ハリウッドという存在

デジタル・ネットワーク技術が普及していったとき、最初に影響を受けたメディアは音楽でした。音楽ファイルはサイズが小さく、ネットワーク技術の容量がまだ小さかった初期の頃から、インターネット上の交換がとても容易だったからです。この動きに対して、積極的にアクションを起こしたのが、米国のレコード協会（RIAA）でした。前章で詳しく見たように、音楽が多数無断で交換されているP2Pソフトウェアのプロバイダに対して訴訟を提起したり、ファイル交換を行っているユーザーを数千人単位で訴えたり、キャンペーンを行ったり、レコード産業の構造を守るために、必死の活動を展開しました。

一九九〇年代の後半に、それを見ながら、次に影響を受けるのは自分たちだと身構えていたのが、ハリウッドの映画産業です。映画は音楽に比べてはるかにファイルサイズが大きいので、しばらくの間は、ネット上にそれほど大々的に出回ることはないとしても、ネットワークの速さや圧縮技術の進化を見れば、音楽産業と同じ洗礼を受けるのは時間の問題だと彼らは分かっていたのです。そこで、先手を打って、自分たちを守るために積極的な動きを見せました。

その動きとは、ロビイングによる立法活動です。ハリウッドをはじめとする映画産業は、莫大な映画製作費を複雑なビジネス・モデルで回収するというその産業構造を守るため、早くから著作権法に大きく依存してきました。ベルヌ条約や、これを受けて立法されている日本の著作権法を見ると、映画の著作物についてだけ、特別な取扱いがされていることが分かります。例えば、日本の著作権法では、通常は手を動かして創作活動を行った人に著作権が帰属するのが原則であるのに対して、映画については、契約上の手続きを踏むことで、資金提供者である映画製作者に著作権が帰属するようにすることができる、という規定があります。これも、多数の人が参加して製作する映画を、その後映画会社が権利関係に悩まされないで活用できるようにするため、映画業界が強力にロビイングして導入させたものです。

流通の場面でも、他の著作物がその複製物を最初に譲渡するときにのみ権利が与えられているのに対して、映画に与えられている「頒布権」という権利では、流通経路のすべてに映画会社のコントロールが及ぶような仕組みになっています。このように、伝統的に、映画産業は、法律で自分たちの身を守るという成功体験を重ねてきたのです。

そこで、デジタル・ネットワーク技術の影響が足元に忍び寄ってきていた一九九〇年代半ば、ハリウッドは、これまでと同じように、今回の問題も立法で対処しようと考えました。その結果、米国の国内外で様々なロビイングを繰り広げたのです。

そもそもハリウッドというのは、米国の国内でも非常に特殊な存在です。皆さんもご存知のとおり、米国というのは民主党と共和党という二つの政党があって、基本的に、二大政党の対立の中で政治を動かしています。一般的には、オバマ大統領が代表している民主党は、どちらかというと労働者、消費者寄りで、福祉政策などに力を入れる存在だとされています。これに対し、ブッシュ元大統領の所属する共和党は、どちらかというと大企業寄りで、福祉政策のための増税は反対です。政府は小さくして、自助努力で世の中を支えるべきだというポリシーを持っています。こうした二つの政党の異なる政策の綱引きの中で、適正なバランスを実現しようとしているのが米国の政治力学なのです。

この構図を著作権の分野にあてはめると、普通ならば、ハリウッドという大産業を共和党が保護し、利用者・消費者を民主党が保護する、という構図を思い浮かべそうです。ところが、実際には、普段は労働者・消費者の味方とされる民主党が、実は歴史的に長くハリウッドを票田にしているのです。したがって、民主党は、消費者である音楽リスナーやネットユーザーなどの立場に立って、著作権を強化しすぎるのは問題だと言ってもよさそうなのですが、こと著作権に関しては、ハリウッドの言うなりなのです。

これに加えて、もともと大企業寄りの共和党は、何とかしてハリウッドのご機嫌を取り、その票田を自分のほうへ奪いたいと考えています。したがって、二大政党の中で対立が生じるはずの構造が、著作権に関しては、民主党も共和党もハリウッドに対して好意的な態度を取ることが多く、著作権強化に反対する政治家がいずれの政党の中にもあまりいない、というのが大きな問題なのです。米国では、ハリウッドが著作権改正法を提案すると、これまで順調に議会を通ってきたのには、このような背景があります。この良い例が、一九九八年に成立した著作権保護期間延長法です。本来なら、著作権の保護期間が延びるというのは、とても国民生活に影響のあることで、反対が起こってもよさそうなのですが、比較的すんなりと議会を通過しました。

このような流れに、次第に強い危機感を抱くようになったのが、学者と図書館です。日本の図書館というのは伝統的にあまり著作権者に反対するイメージがないのですが、米国の図書館協会は、お金を持っていない人たちに広くあまねく知識と情報へのアクセスを保障するのが自分たちの社会的使命だという強い使命感を持っています。そこで、図書館で本や音楽、映画を借りて楽しむ人たちの権利を最大限守ろうという観点で常に著作権政策をウォッチしていて、権利者が少しでも著作権を拡大すると言うと、必ず反対します。このように、利用者の立場を代弁する図書館協会と著作権の拡大傾向に懸念を示す法律学者の人たちがタッグを組んで、ハリウッドが推し進める著作権の強化策に反対するようになってきたのです。

彼らは、ハリウッドを野放しにして、どんどん著作権が強化されたら、本当に人々の知識へのアクセスに本格的な支障をきたして、表現の自由、研究活動の自由、知る権利などが脅かされるのではないか、という強い危機感を抱くようになったのです。そこで、だんだん著作権関連の法律の立法に対して、大きな抵抗が生まれるようになってきたのです。

## †WIPO著作権条約

このような米国国内での抵抗に業を煮やしたハリウッドが何を考えたかというと、国内にいる賢い学者たちを議論でうまく丸め込もうとしても無理だろう、と考えたのです。そこで、これは国際条約で決まったことであり、それに対しては従わなければならないといけないんですよ、というふうに持っていけばいいのではないか、と考えた人がいたのです。その結果としてできたのが、一九九六年のWIPO著作権条約です。

そもそもの始まりは、一九九五年にクリントン政権の下で出された「知的財産と国家情報基盤」(*Intellectual Property and the National Information Infrastructure*)と題する報告書にあります。クリントン政権は、ご存知のとおり民主党政権です。彼らは、インターネットの普及を受けて、米国の今後の情報基盤のあり方について提案するタスクフォースを一九九三年に立ち上げたのですが、その中の知的財産ワーキンググループは、著作権業界の元ロビイストであったブルース・レーマン氏を座長として今後の知的財産のあり方を検討し、一九九五年に先ほどの報告書を出したのです。

その報告書の中では、例えば第二章でもご説明したとおり、コンピューター・メモリへの一時的な複製であっても、著作権法上の「複製」にあたると明確化しようと書かれています。また、インターネット上でコンテンツを配るにあたって、権利者が技術的に暗号などの保護手段をかけた場合には、その保護手段を破る行為については著作権違反にしよう、など、デジタル時代に対応した著作権強化策を提案しました。これに基づいて、議員が法案を作り、一九九五年に議会に提出したのですが、先ほど言った学者や図書館関係者といった人たちの猛反対にあい、一九九五年から一九九六年にかけて、この法案は議会を通過しなかったのです。

ところが、クリントン政権は、国内での立法と同時並行で、一九九六年に、WIPO（世界知的所有権機関）という国連の中の知的財産を扱う機関においても、インターネット時代の著作権法について、国際的に保護を強化する枠組みを提案したのです。もともと、ハリウッドはご存知のとおり輸出産業ですから、あらゆる国に自分たちの製品を輸出しています。したがって、米国内の保護ももちろん大事ですが、米国の中だけで著作権法を手厚く保護してもらっても不十分だ、という面があります。彼らには、世界中の国にも米国と同じぐらい著作権を手厚く保護させることが必要だという強い信念があります。このこともあって、ハリウッドはもともと、条約交渉にも豊富な経験がありました。そこで、このルートを利用したのです。

ＷＩＰＯはもともと国連の機関なので、そこで発言できるのは、基本的には国の政府代表者です。ですから、図書館の人や学者が自由に意見を申し立てることはできません。政府代表は、時の政権が選ぶのですが、このとき、米国では、先ほどご紹介した一九九五年の報告書を出したワーキンググループの座長のレーマン氏が米国政府の代表になって、この報告書とほとんど同じ内容の条約案を国際舞台で強力にプッシュしたのです。

この会議に出席していた日本の関係者の方にお話を聞いても、なにしろ米国が条約の成立を強力にプッシュして、他の加盟国は、その勢いに押された形だったそうです。もちろん、米国の反対派の人たちは、国内の米国政府代表にも懸命のロビイングを展開しただけではなく、ＷＩＰＯ著作権条約が議論されていたジュネーブにも出かけて多くの他の国の政府代表に条約案の問題点を説明し、幾つかの提案を潰すことに成功しました。

例えば、第二章でご紹介したように、「データの一時的蓄積」を著作権法の「複製」とする、という条文は、最後の段階で結局削除されました。その結果、米国が当初提案したとおりの内容が最終的に条約となったわけではないものの、これからご紹介する技術的保護手段の保護法制など、幾つかの重要な点で米国の提案が条約として実を結ぶことになりました。かくして一九九六年にＷＩＰＯ著作権条約が成立しました。

彼らはこのＷＩＰＯ著作権条約を米国に持ち帰り、国際条約になったのだから、これを国内法として通す義務があると主張しました。その結果、一九九八年にデジタル・ミレニアム著作権法（DMCA：Digital Millennium Copyright Act）という著作権改正法が成立したのです。

ハリウッドはこのように、いわば、国内の内紛を決着させるために、国際舞台を利用したのです。その戦略については、例えば、パメラ・サミュエルソン教授は痛烈にこれを批判しています。けれども、その結果として、何が起こったかといえば、米国のみならずWIPO著作権条約に加盟した残りの国々にも、ハリウッドが望んだ内容の法律を整備しなければいけないという義務が課せられることになったのです。

## †ACTA

現在でも米国は、基本的な戦略は変えていませんが、最近は、少し毛色の違う手段を使っています。一九九六年に利用したWIPOを使った交渉が、その後あまりうまくいっていないのです。特に、中国やブラジルなどの、いわゆるBRICsが、米国など先進国の提案には簡単に押し切られなくなってきました。そのため、WIPOの国際会議は、近年も何回か開かれてはいますが、最近はすっかり空転していて、条約の合意が難しくなっているのです。

そこで、米国は業を煮やし、今は通商条約をうまく使おうという方向に向かっています。通商条約というのは、貿易関連の合意です。例えばある国が車や農産物を輸入する際に関税をどうすべきか、という話と同様に、ハリウッドが輸出するデジタル財が外国で侵害されないように各国がその国内で保護する必要があるというのも通商問題の一つだという理屈で、相手国の知的財産に関する法律を強化させようとしているのです。

米国以外の国々も、著作権の話だけに限ったWIPOのような場では、「絶対嫌だ」と純粋に反対もできるのですが、米国から、知的財産について反対するなら、おたくの農作物や衣料品に関税をかけるぞ、などと言われると、やはり相手国も、弱腰にならざるを得ない面があるのです。米国はここに目をつけて交渉材料を増やし、著作権などの保護法制を強化しようという作戦に出ている、というわけです。特に近年、米国は、途上国との自由貿易協定（FTA）の中で高い知的財産保護法制を要求する、という手法を多用するようになっています。

このように、通商条約を用いると交渉材料が増えるのも一つのメリットですが、もう一つのメリットとして言われていることは、通商条約が伝統的に政府間の秘密交渉が原則だということです。WIPOでは、条約の案文を早くから公開して、それに対して政府代表団が意見を述べる形を取っています。その政府代表団に対して、学者や業界団体、消費者団体などが情報提供をして、ある程度オープンに議論がなされます。そのため、多角的な検討が可能な一方で、反対意見も出やすいのです。

一方、通商条約においては非常に機密性が高い内容も含まれるため、基本的には、条文はオープンにしないというのが伝統的な条約交渉のやり方だそうです。そうすると、条文案に対して、識者からの広い批判を浴びにくいのです。もちろん、政府が内密に関係者に意見を聞いたり、調整したりすることはあるでしょう。しかし、インターネット上で広く公開されて、多くの人が自由に意見を戦わせる、という形にはなりにくい、というメリットがあるのです。

今、日本の著作権法に影響を与える通商条約として重要なものに、模倣品・海賊版拡散防止条約（ACTA）があります。これは現在、交渉中で、二〇一〇年度内に合意すると言われていますが、この中で、米国の国内著作権法では入っていて、日本では入っていない著作権保護条項を加える方向で合意がされつつあると言われています。この条約も、しばらくの間、政府代表の中でしか条文案が公開されていなかったのですが、多くの批判を浴びて、つい最近、条文案が一般公開されました。いくら通商条約といっても、いったん国内法として整備されれば広く国民一人一人に影響のある法律ですから、対応としては当然のことだと思います。

## †著作権保護技術（DRM）について

一九九六年のWIPO著作権条約で新しく追加され、今、ACTAでも大きな課題の一つとなっている、新しい著作権保護の仕組みについて、具体的な例を一つ挙げますと、著作権保護技術についての保護です。日本語では「技術的保護手段」、英語では、デジタル・データの利用を技術的にマネジメントする技術ということで、Digital Rights Management、略してDRMと呼んでいます。

DRMと総称される技術には、例えば、暗号化技術、電子透かし技術、著作物の権利管理情報の一部としての権利管理言語（Rights Management Languages）、セキュリティ強化プラットフォーム技術などが含まれ、実際には複数の技術を組み合わせて用いられることが多いと言われます。これらの技術そのものは、中立な技術であり、この技術をコンテンツに適用する条件次第で、情報流通を制限し管理する方向にも、情報流通や再利用を促進する方向にも用いることができます。しかしながら、実際には、商業コンテンツの世界では、DRMは情報をより強力に管理する方向で用いられる場合が多いのが現状です。

DRM技術には、幾つかの特徴があると言われています。そして、その特徴はいずれも、従来の著作権制度が有していた自由なスペースを縮減し、権利者と利用者の間のバランスを権利者のほうに傾かせる方向に働くことになるため、問題だと言われているのです。

一つ目の特徴は、デジタル形式のデータであれば、どんなものでも同列に扱ってしまうことです。DRMは、著作物性のない情報や著作権期間の切れた情報も著作物と同様に保護することが可能なのです。これは、アイディアや事実を保護しない、著作権が切れた古い作品は保護しない、という著作権制度のバランスを崩し、利用者の自由を減少させる方向に働きます。

二つ目として、DRMは、著作権法に定められる以上に細かい条件設定が可能だという点が挙げられます。視聴の回数、プリント・アウトの回数、他のデバイスへの転送やコピーの可否や回数、視聴可能な地域、視聴可能なデバイスなどを、細かく設定することが可能です。これによって、著作権法では従来制限されていなかった行為（例えば、著作物にアクセスしたり、正規に購入した著作物を他のデバイスに移したり他人にあげたりする行為）を、DRMの設計者が自由に制限することが可能となるのです。そのことがよいか悪いかは別として、これは、DRMが登場する前には権利者がコントロールできなかった領域であり、情報発信者に、その分だけパワーを多く与える結果となっていることは事実でしょう。

特徴の三つ目として、DRMは、事前にプログラムされたとおりに反応する技術手段で、ケース・バイ・ケースの判断に基づいた柔軟な反応・判断ができません。このため、DR

Mのシステムでは、基本的に、著作権法の例外規定を配慮したデザインを採用することが難しいのです。

例えば、ある作品を部分的にコピーして貼り付ける行為が、単なる違法コピーなのか、それとも著作権法三二条に定められた要件を満たす適法な「引用」なのかを、DRMのシステムが状況に基づいて判断することは、現在の技術あるいはその延長線上にある技術ではほとんど不可能でしょう。したがって、DRMをプログラムする者の選択としては、違法コピーの防止を重視して、引用など正当な理由のある利用も含めたあらゆる部分コピーを禁止することになってしまいます。現在市場に出回っているDRMでも、例外規定について配慮されている例はほとんど見ません。せいぜい、何回かのコピーを許す設計にすることで、私的複製に配慮しているくらいでしょう。

もしも、あらゆるDRMを法的に保護することになれば、これらのDRMの特徴のせいで生じる利用者の自由の減少を法律が強制することになってしまいます。それは、崩れかかっている著作権のバランスをますます崩す方向に作用してしまうのです。

加えて、DRMを使ったコンテンツは、市場における公正な取引、という観点からも問題を引き起こしています。例えば、これは一回しか聴けないCDですよ、とジャケットに明示して売れば、消費者は、自分が何を買おうとしているのかをよく分かった上で、買うかどうかの判断をします。したがって、消費者が気に入らなければ、ただ売れないだけですから、特に問題はないのです。問題なのは、DRMによって、何ができて何ができないのかが、消費者に分からないまま売られる場合が多いことです。

特に問題なのは、オンラインのDRMです。例えば、アップルのiTunesストアで曲を買ったとします。アップルは、その気になれば、一方的にオンラインでプレイヤーを操作・変更して、DRMの条件を変更することが技術的に可能です。例えば、当初は無制限にCDに焼ける、という条件にしたけれども、やっぱり大盤振る舞いしすぎたなぁと思えば、CDに焼くのは一〇回まで、と変更することも可能なわけです。そうすると、消費者の側から見れば、CDに無制限に焼ける曲、というつもりで買ったのに、あとから買った商品の内容が変更されてしまう、ということが起こるわけです。これは、有体物やパッケージ商品では起こらなかった問題なのです。

もう一つ言われているのが、プライバシーの問題です。以前は、私がパソコンで何を見て、何を何回再生したのかを、権利者は知ることができなかったのですが、最近の技術を使えば、それを全部記録して、オンラインで収集できます。米国の学者は一〇年ぐらい前から、そのうち世の中の一挙手一投足が全部見られる時代になるだろうと言っていました。

これは、ＤＲＭに限らず、ウェブ上でのショッピングなどにもあてはまることなので、著作権特有の問題ではないのですが、ＤＲＭを使えば、買う前に何を見たか、ということだけではなく、買ったあとの商品をどれだけ再生したか、などがすべて分かるようになるのです。

ローレンス・レッシグ教授の言い方を借りれば、本屋さんの店員が私の後ろをついてきて、私がどの本を手に取って見ているのか、後ろでメモしていたら、すごく気持ちが悪いでしょう。アマゾンは、オンライン上でこれとほとんど同じことをやっているのに、それを人は全然意識していないので、多くの人は問題にしていません。むしろ、こうした収集した情報を基に、その人の好みや傾向を分析して、新しい本を推薦してくれたりすることを便利だと感じる場合もあります。けれども、このように集めた情報は、悪用される危険もあるわけですから、本当にわれわれはそれでいいと思っているのかをもっと議論すべきだ、とレッシグ教授は指摘しています。

## †ＤＲＭの利点

こんなふうに言うと、ＤＲＭがすごく悪いもののように聞こえるかもしれませんが、もちろんいい面もあります。経済学的によく言われているのは、よりきめ細やかな条件設定ができることで、より多くの人に商品を届けられるようになる可能性がある、ということです。経済学の世界で価格差別と呼ばれるものです。

例えば、一回しか再生できない映画を買う場合は一〇〇円。何回でも再生できる映画を買う場合は三〇〇円、というような売り方ができるということです。私は絶対一回しか見ないから一〇〇円でいいと思う人がいても、回数制限ができない場合には、商品は何回も再生できるものしかないわけですから、三〇〇円を払うしかありません。しかし、回数制限が可能となり、もっと商品を細分化することができれば、その分、再生回数が少ない商品を安く売ることもできるようになるのです。そうすると、三〇〇円は払えないけど一〇〇円だったら払える、という消費者を取り込むこともできます。そのほうが消費者にとっても、権利者にとってもプラスではないかという議論が経済学的にはできるのです。

ただし、この価格差別は、その市場を独占して自由にコントロールできる立場の権利者だけが採用できる売り方です。つまり、その前提として、回数制限が権利として与えられていることが条件なのです。したがって、このような価格差別によって受ける消費者のメリットと、それを可能にするために回数制限を行う権利を権利者に与えるデメリットを比較検討しなければならない、ということになります。

その他にも、DRMの保護があることによって、権利者が心理的に安心して、オンラインで積極的に作品を提供するようになるのではないか、という議論がなされることもあります。実際に、携帯電話のiモードで着メロ、着うたなどのビジネスを立ち上げた際、その成功の秘訣として、三〇〇円という比較的手頃な価格設定がとても重要だったそうなのですが、その価格実現のために、携帯電話の端末では利用者間で着メロのコピーができないことを説明して、コンテンツの権利者に低価格での許諾をお願いしたと聞いています。

## †DRM保護法制――日米比較

さて、DRMそのものの特徴はこれくらいにして、DRMを保護する法制度はどんなものになったのか、そして、それがどんな問題を引き起こしているのかを見ていきたいと思います。

日本では、DRMの保護法制としては、現在は、コピーコントロールだけが著作権法で保護されています。著作権は、原則として、著作物の見聞き（アクセス）は自由なのですから、その自由な領域をコントロールする技術は、保護する必要がないだろう、という判断です。一方、コピーコントロール技術で保護されているコンテンツについては、このコピーコントロールを回避して複製する場合には、たとえ個人的または家庭内の複製の場合にも、三〇条の範囲内には入りません、という法律改正を一九九九年に行いました。また、コピーコントロールの回避装置やプログラムを製造したり譲渡したりする人や、公衆からの求めに応じて回避サービスを提供する人を、刑事罰で処罰しています。

この他に、コンテンツに付属している権利管理情報を改変・除去したり、または虚偽の情報を付加したりする行為も禁止しています。また、不正競争防止法でも、業者がコピーコントロールやアクセスコントロールを回避する装置またはプログラムの譲渡等を民事上違法としています。このように書くと、いろいろと保護しているように聞こえるかもしれませんが、日本のこの立法は、米国に比べるととても控えめだということができます。

米国のDRM保護法制は、もっと広い範囲にわたっています。まず、著作権法の中で、コピーコントロールだけではなく、アクセスコントロールも保護しています。利用者が、いかなる目的であっても、これらのDRMを破ると、原則としてそれだけで（その後、特に違法な複製やアップロードなどをしなくても）直ちに違法、という法律になっているのです。これは、権利者に対して、作品へのアクセスをコントロールする権利を事実上与えているのではないか、ということで、裁判でも争われたことがあります。

裁判所も、権利者にアクセスをコントロールする権利を与えたものだ、とは言わず、著作権法で権利者に権利として与えているのは、複製や頒布などだけだ、と言ったのですが、こういう複製や頒布が行われるためには、その準備段階としてコンテンツへのアクセスがあり、アクセスコントロールを回避する行為を禁止することは、こうした準備段階の行為を取り締まると考えれば決して行きすぎではない、と判断しました。

説明の仕方はともかくとして、事実上、権利者に、DRMを通じた作品へのアクセスコントロール権を与えたと評価していいでしょう。

このように、DRMをいかなる理由であれ回避しただけで即違法、となると、多くの問題が発生してきます。特に問題なのが、フェア・ユース目的で利用するための回避や、セキュリティ研究をするための回避などです。これらは、保護されている著作物を違法に使おうと思っての回避ではありません。回避したあとに予定されている行為は合法で、DRMが保護される前は、何ら問題なく自由にできることでした。これらが、権利者によるDRM導入によって、突然できなくなるのでは大問題です。そこで、利用者側は立法に際して、これらの従来合法にできていた行為が引き続きできるように、DRMを回避しても許される場合を例外規定で定めるよう要求したのです。

その結果、非営利の図書館での利用、アーカイブ目的の回避、教育施設での利用、裁判所や政府による利用、リバース・エンジニアリング（ハードウェアやソフトウェアの構造を解析・調査すること）の場合、暗号化技術の研究やセキュリティ研究の場合、未成年者保護の場合など、たくさんの例外規定が導入されました。ところが、よくありがちなことに、これらの例外規定は、非常に細かい条件がいろいろと付いていたのです。これにより、結局は、DRM保護法制が導入される前と完全に同じような自由は保障されていない状態になってしまった、と言われています。

加えて、DRMを回避する装置の規制についても、非常に広い文言が導入されました。日本の規制が「装置」「プログラム」の「譲渡」「貸与」などの明確な文言が使われているのに対して、米国では、DRMを回避するような「技術、製品、サービス、装置、部品」というように「技術」という抽象的な言葉が入っています。そして、禁止される行為についても、これらを製造、輸入、公衆に提供その他の方法で「流通させる」という抽象的な言葉を使っているのです。このことが、これから述べるようなショッキングな事件を引き起こし、その結果、セキュリティ研究者とハリウッドの対立を決定づけることになってしまいました。

### †技術開発への打撃——エド・フェルトン事件

DRM保護法制の導入にあたって、従来自由にできていた行為ができなくなるのではないか、という反対派の懸念が本当に現実的となった事件が起こりました。それが、二〇〇一年に起こったエド・フェルトン事件という大変有名な事件です。

セキュリティの分野で高名な研究者であったエド・フェルトン（Ed Felten）というプリンストン大学の教授がいました。この人があるとき、SDMIという音楽の保護技術に関するセキュリティ・チャレンジに応募したのです。SDMIというのは、音楽を保護する標準技術として導入するために、レコード会社やIT業界などが長い時間をかけて開発してきた技術で、彼らは、それなりの自信があったのでしょう。この技術を最終的に市場に投入する前に、技術のセキュリティ・チャレンジを実施したのです。つまり、この技術を破れるものなら破ってみろ、というコンテストを実施して、もしもこの技術を破ってセキュリティホールを見つけたら報告してください、そのかわり、一番早く破った人には賞金を差し上げます、という内容だったわけです。腕に自信があったフェルトン教授は、自分の研究室の学生たちとこのチャレンジに参加をして、見事、三週間ほどでこの技術を破ったのです。

フェルトン教授らは、研究者ですから、賞金など要りません、そのかわり、そのセキュリティホールについて、論文を書いて発表する、と決めました。フェルトン教授にとっては、普段やっているのと同じ、至極当然の行為だったわけです。

ところが、セキュリティ分野の研究常識に明るくないSDMIや米国レコード協会の弁護士たちは慌てました。自分たちは多大なお金をかけて、完璧な保護技術を作ったと思っていたのに、あっという間に破られただけではなく、どこに穴があるかまで論文に書かれるなどとんでもない、と思ってしまったのです。そこで、そんなことしたら著作権法違反だぞと言って、教授に警告書を送ったのです。その結果、教授は、いったんは論文の公表を断念しなければならなくなりました。このとき、手がかりになったのが、「技術」を「流通」させてはいけない、という先ほどの漠然とした条文の文言です。教授は、別に、回避装置を売ろうとしたわけではないのですが、セキュリティホールに関する論文を公表することも、回避「技術」の「流通」だ、とレコード協会は主張したのです。

この事件は、結果として、非常に不幸な結果を招きました。セキュリティ研究者というのは、新しいセキュリティ技術が登場すると、みんなで寄ってたかってそれを攻撃し、セキュリティホールを見つけるのです。そこまでは、実は、海賊版業者のハッカーと全く同じなのです。そのあと、それを悪用するのか、その穴を埋めるために新しい技術を提案して、論文に書いて発表し、その成果を皆で共有して、セキュリティの向上に貢献するのか。それだけの違いなのです。フェルトン教授は、この事件のときも伝統的な研究手法に従っていただけだったのです。

ところが、レコード協会などに、セキュリティホールについて論文を発表することは、DRMを破る技術を流通をさせるということであり、法律違反だと言われてしまったのです。このことは、セキュリティ研究者に大きなショックを与えることになりました。研究者にしてみれば、今まで自分たちが正当な研究行為だと思ってやってきたことに対し、著作権違反で罰金だとか、懲役だとか突然言われたのです。当然、そんなことを言い出す業界のために研究なんかするものか、ということになったわけです。

## †スクリャロフ事件

続いて、もう一件、事件が起こりました。今度は、ロシア人プログラマーのドミトリー・スクリャロフ（Dmitry Sklyarov）氏が、DRMで保護されているアドビ社のｅ－Ｂｏｏｋのデータを DRM のかかっていないPDFのフォーマットに変換できるソフトウェアを開発したとして、学会の講演目的で渡米した際に、その講演の会場で、皆の目の前で逮捕され、拘留されたのです。彼が開発したソフトウェアは、ユーザーが正規に購入したｅ－Ｂｏｏｋに限ってPDF形式に変換できるようにしたもので、例えば、正規に購入した人が、そのコンテンツをフェア・ユースの目的で、私的使用のため紙に印刷したり、視覚障害者のため機械音読させることなどの目的に利用可能なものでした。

しかし、アドビ社は、理由のいかんを問わず、DRMを回避できるプログラムを作った、というだけでFBIに訴え、FBIが彼を学会の場で逮捕したのです。結局、この裁判は、その後長い審理を経て全面的に無罪になったのですが、技術者コミュニティは、DRMに関連するソフトウェアを開発すると逮捕されてしまう、ということに、強い恐怖を覚えました。このあと、たくさんのセキュリティやソフトウェア関連の学会が、二度と米国では学会を開かない、と決めたり、多くの研究者が、著作権関連のDRMに関する研究には手を出さない、と宣言したりする、という事態が起こったのです。

これらの事件があってから、ハリウッドやコンテンツ産業の人たちは、知らないところで、本来なら自分たちのために技術開発をしてくれるはずの研究者を敵に回したのではないか、その結果、本当に優秀な研究者がコンテンツ保護技術を研究していないのではないかと噂される状態が生み出されています。

というのも、セキュリティ技術は、なにも著作権分野だけに利用されているわけではないからです。銀行決済システムなど、他の多くの分野でニーズがあります。それならば、誰も、わざわざ訴えられるようなリスクのある分野を選びません。もっと、自分たちの研究ルールを尊重し、協力関係を築ける産業と仕事をしたいと思うのが当然でしょう。私が二〇〇五年頃にセキュリティ技術の研究者と話をしたときには、米国の学会に行くと研究者たちは、コンテンツのDRM技術が破られたことを面白おかしく話していても、その分野に参入して協力してあげようという人は少ない、むしろ、ハリウッドは自業自得だ、という目で見ている人もたくさんいるのだ、ということでした。

この例は、自分たちの利益を保護しようとして、法律のツールを見境なく振り回した結果、従来のバランスを大きく崩してしまった例です。日本では、まだ米国ほど広いDRM保護法制も導入されていませんし、ここまでアグレッシブに権利行使する権利者も出てきていません。しかし、日本の内閣知財戦略本部は二〇一〇年五月に、ACTA（模倣品・海賊版拡散防止条約）の合意に向けて、米国と同じぐらい高い水準のDRM保護法制を導入する方向で報告書をまとめ、著作権法にもアクセスコントロール技術を保護する規定を導入する方針を打ち出しています。是非、日本は米国と同じ間違いを起こさないようにしてほしいものです。

### †米国のDRM保護法制の問題点

翻って、このDRM保護に関する米国の事例は、技術の発展と法的保護の関係一般について、非常に奥の深い問題を提起しています。つまり、正当にも不当にも利用されうる技術に対して、どのように対処するのが正しいか、という問題です。一部のDRM技術が、従来の著作権制度下で認められていた自由の領域（例えば、著作権の切れた作品を使う自由、著作物を見聞きする自由、例外規定に沿った利用をする自由など）を制限してしまうのならば、その自由を守るためにDRM技術を回避することにも、それなりに正当な利益がある、と考えることもできるでしょう。

　例えば、リナックス利用者がパソコン上で、正規に購入したDVDを再生する際に、DVDのプロテクション技術が邪魔をして再生できなかったとしたら、自分の購入したDVDを観るために、DeCSSというプロテクション回避技術を使うことは、日本では全く問題になりませんし、米国でも、DRM保護法制が導入される前は、なんら違法ではありませんでした。しかし、同じDeCSSを使ってDVDのデータをパソコンに取り込んで、そのコンテンツを公衆送信することは、従来の著作権法下でも明らかに違法なわけです。したがって、同じDRM回避技術であっても、正当にも不当にも利用されうるのです。

　このように、正当にも不当にも使える技術の大半に対しては、従来、技術そのものについては市場に出回ることを許容しつつ、その不当な使い道だけを禁止する、という対処がなされてきました。例えば、パソコンを使って著作権違反行為をすることはいくらでもできますが、だからといって、パソコン自体を禁止しよう、という議論にはなりません。パソコンを使った違法な公衆送信や複製だけが禁止の対象です。また、前章で詳しくご紹介したビデオ録画機もその一つでしょう。もっと広く目を広げても、刃物やカメラなど、多くの物に同様のアプローチが取られています。

ところが、デジタル著作権、特に米国におけるDRM回避技術に関しては、アプローチが逆で、DRMの回避目的がたとえ正当であっても、原則として回避技術自体を違法としていることが特徴的なのです。その上で、ごく例外的な場合にだけ、回避を合法としています。これは、拳銃や麻薬など、ごく一部の危険なものにしか見られなかったアプローチなのです。米国のDRM保護法制であるDMCAがこのようなある意味大胆な政策を採用した背景には、いったん裸のコンテンツが出回ってしまうと、事後的にコンテンツを回収することが事実上困難であることを権利者が非常に警戒した等の事情があるのでしょう。

しかし、映画業界が当初敵視して訴訟まで起こしたビデオ録画機が、その後映画産業にビデオグラムの販売・貸与による巨額の売り上げをもたらしたように、新しい技術は、一見とても危険なもののように思えても、その後の発展とビジネス・モデルの進化によって、常に、新たな産業や生活スタイルを提供する可能性を秘めているのです。そして、新しい技術の有用性や問題点が、十分に成熟した形で社会に理解されるまでには、一般に、最低、五年、一〇年という時間が必要なのです。

こうして考えると、米国のDMCAのように、新しい技術の開発や使用について、その発展のごく初期の段階で、あまりに広範に法律で禁止しコントロールしようとすることには、大きな損失のリスクが伴っていると言えるでしょう。

わが国でも、いよいよ、アクセスコントロールを保護する立法を著作権法に導入し、技術的保護手段に対する規制を強化・拡大しようという議論が本格化すると考えられています。

今後、これらの規制の拡大を検討するにあたっては、このような米国での経験が示唆するインパクトを十分に考慮して、立法により一定分野の新技術の芽を摘むことのリスクとコンテンツの権利侵害のリスク、そのどちらがわが国の経済発展にとってより深刻なのか、コンテンツの侵害に対する取り締まりは他の手段ではだめなのか（アクセスコントロールを回避した後の複製や公衆送信行為を問題にすることと実効性に違いがないのではないか、侵害者を特定・捕捉するような方策は検討できないか、利用者の意識向上に努める余地はないか、等）、あるいは、そもそも何が「適正」で何が「不正」であるかをデジタル・ネットワーク時代の実態に照らして問いなおす必要はないのか、コンテンツ産業とIT産業やデバイス産業との保護のバランスはどうあるべきか、適正な例外規定の必要性など、多角的な視点から慎重に検討することが望まれるところです。

### †崩れる自由と規制のバランス

以上、ＤＲＭをめぐる日米の状況を見てきましたが、最後に、ハリウッドを震源とする著作権保護拡大の動きの中で、著作権法の中にある表現の自由とのバランスが崩れかかっているのではないか、という少し哲学的なお話をしたいと思います。

よく考えると、著作権法というのは、基本的には憲法二一条に定める「表現の自由」と根本的に矛盾している側面があります。創作モラルといったものを全部脇に置いて、ただ、発言する、表現するということだけを考えてみましょう。例えば、二次創作の例などが一番分かりやすいと思いますが、人の写真を借りてきて、そこに自分が手を入れて作品を作るとしましょう。著作権法上は、この行為は無断でやってはいけない、ということだとすると、客観的に見ると、ある表現に対して一定の制限をかけている、つまり、表現の自由を制限している、ともいえるのです。

それでも、今から一〇年ぐらい前までは、著作権法と表現の自由との間には対立がある、ということを議論する人は、日本にはほとんどいませんでした。なぜかというと、著作権法は、その仕組みの中に、幾つか表現の自由に配慮するツールを埋め込んでいて、ここは表現の自由を尊重しましょう、ここはむしろ権利者の経済的な利益を尊重しましょう、というように、制度の中でそれなりのバランスを取っていたからです。

このバランス・ツールとしては、大きく五つくらいあると言われてきました。一つには、第一章でもご説明した、アイディアや事実は保護しない、という原則。二つ目に、著作権の例外規定。三つ目に、第二章でご説明したとおり、著作物へのアクセス（著作物を見たり聞いたりすること）は規制の対象外としていたこと。四つ目に、著作権には保護期間というものがあって、保護期間が切れたあとはどんな作品でも自由に使えること。そして、五つ目に、作品を大幅に変更して、もはや元の作品の本質的な特徴が分からないまでに改変された場合には、完全に別の作品として、元の権利者の権利が及ばないように設計されていることです。

ところが、これらのバランス・ツールが、デジタル・ネットワーク技術の波の中で、だんだん侵食されてきていて、表現の自由を確保しようとする範囲がどんどん狭まってきてしまい、バランスが崩れかかっているのではないか、ということが議論されています。すでに、いろいろなところで少しずつ触れていますが、まとめて振り返ってみましょう。

まず一つ目に、もともとは規制の範囲ではなかった領域が、規制の範囲に入ってきているのではないかという議論があります。第二章では、アナログ時代に本を読むことは完全に自由だったのに、同じものをネットで見ようとすると、場合によっては違法になるかもしれない、というお話をしました。また、DRMを使ってアクセス制限をかけることによって、人がものを見たり聞いたりするということ自体にも権利者のコントロールが及ぶという法制に米国はすでに踏み出しています。同じように、DRMを使うことで、著作物ではない事実やアイディアも囲い込むことが可能になってきていて、その事実上の囲い込みを、DRM保護法制という形で法律が後押しするようになってきています。

二つ目として、例外規定をめぐる状況も変わりつつあります。これも、DRMに関連することですが、DRMで保護されているコンテンツについては、米国においては、たとえフェア・ユース目的であっても、DRMを回避することは原則として許されない、という判例が幾つも出ています。ということは、DRMを使えば、例外規定自体をシャットアウトすることができてしまう、ということになるのです。

同じように日本でも、オンラインでネット上の著作物を見るのは合法だけれども、オフラインでそのときに作られたキャッシュを見たら違法だとか、DRMで保護されている場合には、従来認められていた私的複製も認められないとか、例外規定の中で、むしろ、利用者の自由を狭めるかのような規定が徐々に増えてきています。

最後は、著作権期間の延長についてです。著作権期間は、世界的にはどんどん延長されています。これはレッシグ教授がよく紹介している例ですので、聞いたことがある人もいるかもしれませんが、ディズニーは、著作権の切れた昔のグリム童話を利用して、シンデレラや白雪姫などのアニメを作っています。そういう意味で、著作権期間が有限であることの恩恵を十分享受しているのです。それなのに、ミッキーマウスについては著作権が切れたら困るということで、ミッキーマウスの著作権が切れそうになるたびに、著作権期間の延長のロビイングをしているのではないか、と指摘されています。

実際に、米国では一九七八年に保護期間を一九年延長しました。さらにその二〇年後の一九九八年に、また二〇年延長しました。これが、本当にミッキーマウスのためなのかどうかはさておいて、著作権期間が延長された結果、一部の作品の著作権がずっと存続していることは事実です。もともと、著作権法の前提としては、一定の期間を過ぎた古い著作物は社会の共有財産として還元し、表現の自由への制約をなくしていかなければいけない、という制度だったのではないか。それなのに、著作権保護期間が切れそうになったら延長することを繰り返していけば、結局、永遠に著作権保護期間が切れない作品が登場して、表現の自由に対するバランスを崩すのではないか、ということなのです。

## †著作権期間延長の何が問題なのか

著作権期間を延長するかどうかというのは、日本でも二〇〇七年から二〇〇八年にかけて、大きな議論になりました。その後、日本の世論ではあまり注目されなくなりましたが、実は、文化庁の審議会に基本問題小委員会という委員会があって、二〇一〇年の今でも延長についての検討は続けられています。

近年の日本における著作権保護期間の延長は、映画の著作物から始まりました。二〇〇三年の国会で、映画の著作物について、もともと著作権期間が映画の公表後五〇年であったものを、七〇年に延長する改正が承認されたのです。この改正を行ったとき、改正の要望を出した経済産業省は、「コンテンツ業界の選択的・戦略的保護のため、映画の著作物に限って保護期間を延長してほしい」と要望し、明確に、「他の著作物の保護期間の延長には反対する」と説明していました。このとき、延長を正当化する理由として、映画業界はこのように言ったのです。たいていの著作物は、保護期間は著者の死後五〇年ですから、実際には、五〇年に著者が生きている数年から数十年が加算されているのに対して、映画は公表から五〇年なので、他の著作物よりも短くて不公平だ。だから、公平を保つためには、七〇年にすることが必要なのだ、と。

そうだとすると、映画以外の著作物については、保護期間を延長する必然性はないわけです。ところが、これらの経緯を忘れたのか、その後、映画以外の著作物についても、欧米の水準に合わせて、保護期間を著作者の死後五〇年から七〇年に延長してほしい、という要望が権利者団体から出されるに至り、二〇〇七年度の文化庁の審議会で、著作権期間を延長するかどうかを検討する委員会ができました。

日本は今、著作権期間は著作権者の死後五〇年となっています。これはベルヌ条約で定められている保護期間の最低ラインで、先進国の中では最も短いものです。米国は、原則として著者の死後七〇年ですし、ヨーロッパもほとんど死後七〇年となっています。そこで、JASRACなどの権利団体は、日本も国際水準に合わせないとおかしいのでは、と提案したのです。

これに対して、弁護士の福井健策さんやジャーナリストの津田大介さんなど何人かの人が立ち上がって、「著作権保護期間延長を考えるフォーラム」（Think Copyright）を立ち上げ、著作権期間の延長は日本のために本当にいいことなのか、とりわけ、著作権保護期間が切れた作品の利用の自由を奪ってしまうことは、本当に日本の社会のためになるのかをもっとまじめに検討しよう、と呼びかけました。その結果、審議会でも、賛成派と反対派が拮抗して議論がまとまらず、二〇〇九年の一月に、さらに議論を深める必要があり、いますぐ延長するという結論は出せない、ということになりました。

ところが、二〇〇九年のJASRAC七〇周年記念式典に、当時の鳩山首相が出席して、JASRACも七〇年になったわけですから、著作権期間も死後七〇年にしましょう、という、本気か冗談か分からないような発言をして、また最近、騒動になっています。もちろん、この発言で延長が決まるほど物事は単純には進まないのでしょうが、現在もこの問題は審議中で、権利者側は保護期間の延長を諦めていないことをよく示しています。

私自身は、著作権保護期間は今でも十分長いので、これ以上長くする必要はないと思っています。著作権期間が長いと、なぜ問題なのかということの一つに、この期間が長ければ長いほど、著作者を探すコストが高くなるという問題があります。第一章、第二章でご説明したとおり、著作権には、権利者を登録しておくデータベースがないわけですから、権利者を探すことが、もともと難しい。日本のJASRACは、いろいろ批判はされてはいますが、商業的に流通している作詞家、作曲家について調べたいとき、あそこに行けばたいてい分かるという意味では非常にありがたい存在です。それと同じほど網羅的なものが、写真をはじめ他の著作権分野にあるかというと、存在しないのです。

そんな中で、著作権期間が長くなると、相続が起こる回数が増え、人の移動も増えるため、権利者を探すのがますます困難になっていきます。著作物は、時間が経てば経つほど使われなくなっていくものが多いのに、権利処理のコストばかりが高くなっていくわけですから、制度として見たときに、まったく割が合わなくなっていきます。したがって、どこかの時点で、もうそれ以上は保護しないとしたほうが、社会的コストとしても安くて済むわけです。

二〇一〇年にも、ソニー・ピクチャーズが韓国の人気ドラマ「冬のソナタ」のDVDを発売しようとしたものの、幾つかの音楽について権利者が分からないため、販売が延期になる、という事態が発生しました。「冬のソナタ」は、二〇〇二年に韓国で放映されたドラマで、まだ一〇年も経っていないにもかかわらず、もうすでに権利者が分からないという事態が起こっているのです。そのために、すごく市場にニーズがあるのに販売できないということが起きているわけです。ソニー・ピクチャーズは「今後も鋭意権利処理を進めてまいりますが、現時点では発売日は確定しておりません」と告知しています。

著作権期間の延長は、ごく一部のベストセラー小説、ごく一部の有名な映画や音楽など、作品のピラミッドの頂点近くにいる、ほんの一%にも満たない作品を保護するために、そのピラミッドの下にあるほとんど利用されてない大多数の作品を塩漬けにするような制度改革を意味するのです。やはり、それは非常に問題なのではないでしょうか。

延長を希望する人の利益を保護し、かつ、このような問題を回避することは、実はそんなに難しいことではありません。例えば、延長を希望する権利者だけが、自分が権利者であることを証明して、どこかに登録した場合にだけ、延長が認められる、という法制度にすれば、それで問題は一挙に解決するのです。こうすれば、ピラミッドの上部にあってまだ売れ続けている作品については、多少お金がかかっても、期間延長のためきちんと登録するでしょうし、そうでない人は登録しないでしょうから、基本的に誰も保護を望んでいない大部分の作品は全部フリーになります。加えて、延長された作品については、権利データベースも構築できることになって、一石二鳥です。これは、私が考え出した案ではなく、レッシグ教授や福井健策さんをはじめ、多くの人が提案している制度設計です。是非、真剣に検討してほしいと思います。

### †法律・技術・市場・規範意識の四要素を組み合わせて

以上、この章では、著作権が拡大していく力学を見ることから始まって、DRM保護法制の問題点、著作権保護期間延長の問題点、そして、全体的に著作権制度における表現の自由への配慮が崩れてきていることの問題点などを見てきました。

最後に、コンテンツの保護を考えるにあたって、もう一つ正しく認識したいことは、コンテンツ産業を支えるための手段は、必ずしも法律だけではない、ということです。日本でも米国でも、法律家や一部の政策担当者は、ともすると、法律が保護や規制のための唯一の手段であるかのように錯覚してしまう傾向があるように思います。

しかし、ローレンス・レッシグ教授が一九九九年に発表した『CODE』(翔泳社、二〇〇七年)という本の中で指摘しているとおり、人の行動(例えば、著作物をどう利用するか、ということ)や情報の流通は、法律だけで左右されるわけではなく、市場(例えば、コンテンツの価格や提供条件など)、技術または社会構造(Architecture:DRM技術のあり方、デジタル・ネットワーク技術の普及度など)、人々の規範意識(著作物や情報がどの程度自由であるべきものと考えているか、リミックスに対してどのような態度で臨むか、など)といった複数の要素が相互に影響して決定されているのです。法律は、もちろん重要ではありますが、あくまでも一つの要素にしかすぎないのです。

したがって、デジタル時代における著作物を含む情報流通のあり方もまた、ビジネス・モデル、情報や著作物に対する人々の感覚、それに沿った技術開発や立法などの要素を上手に組み合わせつつ、多角的に捉えなければならないのです。言い方をかえれば、何もかもを立法で解決しようと思わずに、ビジネス上の工夫では解決できないか、インフラを上手に組むことで解決できないか、と同時に問うことが必要だということなのです。その際、法律による保護は、ひとたび拡大すると縮減することがとても困難だということや、法律の規制が本質的に、問題が成熟したあとに解決することが適している、基本的に後追いの性格を持つものであることを、十分、肝に銘じなければならないと思います。

# 第五章 科学の世界と著作権

## †多様化した著作物の引き起こす問題

デジタル・ネットワーク時代の著作権法について、これまでいろいろな側面からその課題を見てきました。その中で、今まであまり大きく触れていなかった問題の一つに、著作物のタイプの多様化、という問題があります。

近年になって、デジタル技術の用いられる分野が急速に広がり、著作権法という一つのルールが実に多様な分野に等しく適用されるようになりました。例えば、小説、音楽、映画、コンピュータ・ソフトウェア、データベースは、同じ「著作物」とはいっても、その存在目的や使われ方、ライフサイクルは全く異なります。小説や音楽や映画には、百年間同じように利用され続けるものが存在します。しかし、ソフトウェアは数年で基本技術が入れ替わることもあるし、科学研究の世界では研究に必要とされるソフトウェアやデータベースはどんどん進歩しています。これらの分野では、(「名作」として人々の記憶に残ることはあっても)百年間変わらず使われ続ける著作物はほとんど存在しないでしょう。

また、著作物が作られる目的もしばしば異なります。音楽家の中にも、商業的に成功することを目的にする人もいれば、単に音楽を通じたコミュニケーションを楽しみたい人もいます。同様に、文章といっても、ベストセラーを狙った小説と、広く知の普及に貢献することを目的とする学術論文では、その生態系は全く異なります。学術論文を書く人は、その論文で幾ら稼ぐかよりも、自らの実績を公表し、研究者コミュニティで高く評価され、他の論文に引用されることを重視しているのです。

ところが、著作権法から見れば、これらはすべて同じ「著作物」であり、同じルールが適用されます。そのルールは、小説家ヴィクトル・ユゴーが念頭に置いたルール、つまり、著作物を販売し投下資本を回収するというビジネス・モデルを前提にしたルールです。デジタル技術の普及によって、著作権法の傘の下に入る著作物や創作者の生態系が多様化してくると、このルールが必ずしもぴったりとあてはまらない場面が出てくることは、仕方のないことだといえるでしょう。

このように、一つのルールを多様な著作物の生態系に押し付けた結果、いろんな分野で多くの難しい問題が生じてきています。その一つに、科学の分野があるのです。

## †科学技術と著作権

科学と知的財産権、というと、これまでは、主に特許権や実用新案権、営業秘密などの分野が注目されてきました。しかし、実は、著作権も科学の世界と深い関わりがあります。主に関わりのある分野としては、科学論文と、科学データのデータベースがあります。論文もデータベースも、いずれも、著作権法で保護される著作物なのです。

そして、これらの論文やデータベースの取扱いが、この数年で大きな課題として注目されています。その背景には、やはりデジタル化の波があるのです。

この章では、デジタル化の波によって科学がどう変わってきたか、そして、その中で著作権はどんな課題を提示しているのかを見ていきましょう。

## †広まる科学データの共有

デジタル化によって、科学の研究手法は大きく変わったと言われています。簡単にいえば、仮説駆動型の研究から、データ駆動型の研究に変わってきたのです。かつて、科学の分野では、まず、仮説を立て、実験の設計をし、それから実験を行ってデータを採取し、仮説を検証する、というプロセスをたどる場合が多くありました。ところが、プロセス全体がデジタル化し、高度なデジタル解析機器による大量のデジタルデータの採取が可能になってから、科学は次第に、データをまず集めて、集めたデータを解析することで仮説を見つけ、検証していくというデータ先行型の研究手法に変わってきたのです。この変化は、多くの分野で起こっていて、ますます加速しています。

具体例を見てみましょう。二〇〇三年、三〇億のヒトゲノムの塩基配列の解析が一〇年かかって達成されたということが大きなニュースになりました。ところが、その後の解析機の進化で、今や同じ量のヒトゲノムの解析は一週間で可能になっています。また、近年、環境問題が大きく取り上げられ、世界中で関心が高まっていますが、環境問題は地球規模の問題で、一国が努力して解決できる課題ではありません。北極から南極まで、多くの場所の環境変化などを世界規模で観測し、現象を解明しなければなりません。そのために、各国が飛ばしているたくさんの衛星が日々、多様な気象データや地理データを集めていたり、あちこちの海で水温や水流に関するデータが集められています。衛星に積んでいる観測機の性能もどんどん上がってきていて、より精度の高い情報を収集できるようになってきています。要するに、データの大量化、高度化、複雑化が加速度的に進んでいるのです。

これらのトレンドを受けて、二〇〇八年九月、*Nature* という世界で最も権威のある科学雑誌は、"BIG DATA"（大規模データ）について、という特集を組みました。また、二〇一〇年二月、*The Economist* も "Data, data everywhere"（どこにもかしこにもデータが）という特集を組みました。いずれも、大規模なデータが日々集まってくる中で可能になってきたことについて考察している特集です。

具体的に、一つの分野を取り上げて考えてみましょう。iPS細胞の発見によって再生医療などで大きな注目を集めている、いわゆるライフサイエンス科学の分野があります。

この分野でも、今、データ駆動型の研究がとても盛んです。しかし、一方で、例えば再生医療などの大きな目標を達成するためには、本当に総合的かつ複合的な研究分野の協力が不可欠であり、今や、一つの研究グループがすべての課題に取り組んで解決することなど不可能な総合分野に発展しています。研究の成功には、解析機で遺伝子（ゲノム）情報やタンパク質の構造、糖鎖の構造や酵素の働きなどを調べ、その相互の連携などを解明することが必要ですし、どの医療分野が最も診断医療や再生医療の必要性が高いかを判断するためには、国民の健康情報や医療情報を集めることがとても有益です。

ところが、これらのデータは、いろいろな研究グループが別々に集めていたり、厚生労働省が集めたりしていて、様々なところに分散して存在しているのが現状なのです。

そこで、日本中に、いや、世界中に分散しているこれらのデータを整理し、相互に突き合わせることで新しい発見を得ることが、科学の進歩のためにとても重要になってきています。先ほどご紹介したとおり、解析機の進化によって、短時間で収集できるデータ量は膨大になってきていて、かつ、多様な使い道があり、いわば「宝の山」です。限られた研究グループの中だけでは、とても宝を探し尽くすことはできません。そして、解析機はどんどん進化していきますから、その「宝の山」が最先端の価値を持っているのはほんの二、三年のことだと言われています。つまり、データには「鮮度」があるのです。「鮮度」の高いうちに、最新の膨大なデータを多角的に突き合わせ解析することによって、いかに新しい発見・発明へつなげるか。これが、今の科学の大きな課題といってもよいでしょう。

では、その課題を達成するには、どうすればいいか？　当然、できるだけたくさんのデータが自由に組み合わせられたほうがいいですし、また、多くの人がその宝探しに参加したほうが発見が加速します。そこで、欧米を中心に、科学データを共有して多くの研究者に見てもらい、みんなで宝探しをしてイノベーションを加速しようという動きが、ここ数年で急速に高まってきたのです。

論文もまた、とても重要な研究ツールです。科学論文は今や、膨大な数が毎日のように出版されていて、しかも、複合的な分野を研究している科学者は、多くの分野にわたって論文を読まなければなりません。人間の時間は有限ですから、すべての論文に目を通すことは不可能です。そこで、要旨や著者、キーワードなどでターゲットの論文を絞り込み、必要なものだけに目を通すことがとても重要になってきました。そのためには、論文を複製し、ディスクに保存し、検索できるようにすることにとても意味があります。

もちろん、世の中には、有料の論文データベースを作成して配布している有力な会社が幾つかありますが、近年、これらの出版社の合併と独占化が進み、購読料が高騰していること（したがって、資力のある大学や研究機関でなければ必要な論文にアクセスできないこと）

が大きな社会問題になっています。今は、論文のデータさえあれば、自分の手元で必要な検索をする技術自体はそれほど入手が難しくなくなってきています。そこで、論文データを公開して広くアクセスできるようにしよう、またはダウンロードできるように共有しよう、という、論文のオープン・アクセスの動きが盛り上がってきたのです。

また、論文とデータの関連も非常に重要です。多くの論文では、自分が研究したデータを引用しながら議論を組み立て、仮説を立てたりその仮説を検証したりしています。論文を読む他の研究者がその仮説や検証の真偽を確かめようとすれば、当然、論文だけではなく、その論文が取り扱っているデータそのものが必要になってきます。しかし、論文は出版しても、その論文の元になっているデータが入手できなければ、他の研究者はその論文の価値を正しく評価できません。この問題を解決するために、論文とデータの双方にアクセスができること、もっといえば、手元にダウンロードして実験ができるように共有することの重要性がどんどん増しているのです。

### †世界のデータ共有の流れ

世界的には、二〇〇四年にOECDが*Declaration on Access to Research Data from Public Funding*を出しました。つまり、公的資金によって行われた研究データに関するアクセスを確保するための宣言です。公的資金によってなされた研究、というのは、例えば、政府が出す研究資金によって行われている研究です。企業が資金を出して行っている研究では、研究成果から知的財産権（特許など）を得て、製品化し、または技術をライセンスして、そこから利潤を生み出すことで投資を回収する、ということが前提になっています。

これに対して、純粋に経済学的に言いますと、税金によって行われている研究では、その成果を誰かに独占させて利益を生み出すという経済的な必要性は非常に低いわけです。むしろ、そこで得られた利益は、もともと国民の税金で行われたものですから、国民に還元するのが筋ではないか、という考え方もあり、例えば、米国ではそれはむしろ当然のこととされています。そこで、公的資金に基づいた研究から得られたデータを広く共有すべきである、という考えが提唱され、二〇〇四年にOECDで宣言が採択されたのです。もちろん、日本もこの宣言に参加しています。さらに、この宣言に基づいて、二〇〇七年により具体化したガイドラインがOECDから出ました。

二〇一〇年に出た*Panton Principles*は、OECDのような公的機関ではなく、私的なコンソーシアムの提案なのですが、データの共有を確保するために、一歩進んで、データを物理的に提供するだけではなく、そのデータに対して研究者が持っているかもしれない様々な権利（例えば、データベースに対する著作権や、欧州で認められているデータベース権など）も放棄したらいいのではないかという、より踏み込んだ提案がなされています。

## †科学データの共有を推し進める米国

このように、世界中で今、科学データの共有に関心が高まっていて、例えば、地球観測データに関しても、国連の中にデータ共有の推進事務局が設置されて議論が進められていますが、このデータ共有の動きを一番強力に推進しているのは米国であるように思います。

著作権の分野で活動している人にとっては、米国というとハリウッド、ハリウッドといえば著作権の強化、というのが常識です。ハリウッドが、映画や音楽などがネット上で盗まれないよう、保護の強化に膨大なエネルギーを割いているのは前章で見たとおりです。

しかし、その一方で米国は、科学と映画や音楽は別物なんだということを、かなり早期から気がついていました。そこで、いわゆるエンターテインメント系の著作権と、科学に関する著作権について、非常に巧妙な使い分けを実施しているのです。具体的には、科学政策は、エンターテインメント分野が推し進めているコンテンツの囲い込み強化（つまりは著作権強化）とは別の考え方でアプローチをしなければいけないという研究や提言を行って、そのための法制度を着々と国内で整備していっているのです。

米国には、National Research Council という、国の科学政策を助言するための調査研究機関があるのですが、ここでは、米国がＷＩＰＯ著作権条約を成立させた一九九六年の翌年、一九九七年には、*Bits of Power: Issues in Global Access to Scientific Data*（データの力：科学データへの普遍的アクセスに関する課題）という研究成果をまとめて、科学データがその力を最大限に発揮するためには広くアクセスを確保することが必要だという方針を打ち出しました。また、一九九九年には、*A Question of Balance: Private Rights and the Public Interest in Scientific and Technical Databases*（科学的、技術的なデータベースにおける私的な権利と公共の利益のバランス）という研究成果をまとめ、とかく知的財産強化一辺倒に偏りがちな中にあって、公共の利益を実現するためには、科学技術データベースについては、バランスを取ることが重要だと説いています。

しかし、データを持っている研究者からすると、せっかく自分が採取したデータを人に見せることは、自分の持っている優位性を放棄するような感覚を生み出します。誰もそのデータを見ることができなければ、そこに埋れている宝を発掘することができるのは自分だけです。ゆっくり腰をすえて研究すればよい。ところが、データを他の研究者と共有すると、他の研究者のほうが良い着眼点を持っているかもしれませんし、他のデータとの組み合わせ方が優れていて、自分では気づかないことに気づくかもしれない。研究者はより厳しい競争にさらされることになるのです。したがって、できればデータは出したくない、ずっと自分で持っていたい、と思う人が出てきたとしても、何ら不思議ではありません。

そこで、米国では、公的資金で行われた研究については、データを国に提出しなければならないということが法律で義務化されていて、国が集めたデータをデータセンターで広く公開する仕組みを作っているのです。その基本法は、情報公開法です。簡単に言うならば、国が委託して行っている研究なのだから、国の情報であるとして、広く公開するという仕組みです。その他に、国の予算と情報資源の管理を定める財務管理局令A－130では、基本的考慮要素として、「国家安全保障の管理や他者の財産権を考慮しつつ、科学的、技術的な政府情報をオープンかつ効率的にやり取りすることは、優れた科学研究と政府の研究開発資金の効率的利用を促進する」と謳《うた》っています。

これらを基に、例えば、National Institutes of Health（ＮＩＨ：アメリカ国立衛生研究所）では二〇〇三年にデータ共有ポリシーを、二〇〇五年にはオープン・アクセス・ポリシーを、二〇〇七年には、データに基づいて執筆された論文についても、論文公表後一年以内にＮＩＨに提出すべきであるというオープン・アクセス法を立法して、その成果の共有が確実になされるように手当しています。論文のデータベースとしては、世界約七〇ヵ国から集めた二〇〇〇万以上の論文や本の書誌情報や要旨を検索できるPubMedはとても有名で、この分野の日本の研究者の方も皆使っていると思いますし、そのうちの二〇〇〇万件の文献は、その全文がPubMed Centralに収録されていて、無料でダウンロードが可能になっています。

## †共有政策の裏にある資金の最大効率化と研究の加速

ここまで読んでこられた方のうち、科学研究を行っていたり、企業で知的財産の管理をされている方の中には、違和感や疑問を感じる方もいらっしゃるかもしれません。これまで（正確には数年前まで）、知的財産の世界では、競争力を上げるためには、成果を囲い込んで独占し権利化するべきだ、という、ある種の思い込みのようなものがあったのです。

今でも、製薬特許やデバイス特許などを囲い込んで権利化することは、米国でも盛んに行われています。では、この囲い込みと、これまでご紹介した共有は、どのように使い分けられているのでしょうか。それは、単純化していえば、事実に近いデータ部分は共有し、そのデータから生み出された応用研究成果を独占させるという、いわば研究の上流にあるデータと下流にある成果の間での使い分けが行われているということなのです。

どうしてこのような使い分けが必要なのか。一つには、そのほうが、研究資金の効率が最大化できるということが挙げられます。今、ライフサイエンスの研究には、大きいものでは、一つに数十億から数百億単位の税金が使われています。その税金のうち、大きな予算が、例えば、最先端の解析機を買うために使われています。つまり、最先端の解析機を買える人は日本でもとても限られているのです。そして、そこから、限られた人数では到底研究し尽くせないような量のデータが取れる。これを、他の研究グループに属する多くの研究者も使うことができるようになれば、これらの研究者は、もっと小さな研究資金でデータを解析することができるようになります。

こうして多くの研究者が皆、お互いにデータを公開して共有すれば、データの組み合わせも豊富になり、それだけ多角的な研究が可能になります。また、研究者間の競争も進みますから、研究者も必死になる。それだけ研究も早く進んでいくのです。データが共有される場合とされない場合を比較すれば、明らかに、共有されたほうが、最初に投下した研究資金から得られた成果が有効に活用され、国の科学全体が進歩することが分かります。米国は、このような点をとても戦略的に考えているのです。

欧州でも、データ共有の流れは、Wellcome Trust などの、研究資金をつけるファンディング・エージェンシーの要望で実現しているところが多いのが現状です。

## †日本の状況

では、日本はどうでしょうか。残念ながら、日本の状況は極めて危機的だと言わざるを得ません。

日本でも、小泉政権下で二〇〇三年に知的財産戦略本部が設置され、それ以来、知財立国という目標の下に知的財産推進計画を毎年定めて、国際競争力の強化、イノベーションの強化をめざしてきました。ところが、日本では、米国が行ったようなエンターテインメント分野と科学分野の戦略的な差別化や、同じ科学の成果でも、上流の基礎データの共有と、下流の応用研究の成果（発明など）の独占という使い分けを、全く導入しなかったのです。むしろ、一九九八年には、民間企業における知的財産権の強化のために、公的資金で行われた研究成果であっても、その研究を受託した私的機関が独占することを認める、いわゆる日本版バイ・ドール法を立法したりしました。

日本では、このバイ・ドール法の導入は、米国を真似して知財立国をめざすために行うのだ、という説明をしています。そして、バイ・ドール法が米国をお手本に導入されたことは、そのとおりなのです。問題は、タイミングでした。米国がバイ・ドール法を立法したのは一九八〇年。科学研究がデジタル化の波をかぶり、そのスタイルを変貌させる遥か前のことです。その後、一九九〇年代から始まったデジタル化による研究スタイルの変化とともに、米国では、先ほどご説明したとおり、上流のデータを共有させつつ、バイ・ドール法のような独占方針は、応用研究の結果生み出された下流の具体的な成果である特許などにだけ適用する、という使い分けを実施しています。

ところが、日本では、バイ・ドール法を、デジタル時代のデータ駆動型研究になってから、いわば時代遅れで導入しました。そして、米国の巧妙な使い分けに全く学ぶことなく、そのバイ・ドール法の考え方を、上流のデータにも、下流の応用研究成果にも、一律にあてはめてしまったのです。その結果、米国では否定された、ハリウッド的な独占一辺倒の考え方が科学にも広く行き渡ってしまう結果となったのです。

そのため、日本では、公的資金で行われたデータは全く共有されていません。それどころか、過去一〇年以上にわたって、ライフサイエンスは日本の科学の重点分野の一つと位置づけられて、累積で何十兆円もの税金が投入されているのに、その税金がどんなプロジェクトにいくら使われて、そこからどのようなデータが取れたのか、それが今どこにあってどんな状態になっているのかを、一元的に管理しているところがどこにもないのです。

では、これらの研究で得られたデータはどうなってしまったのか？　それは、研究を受託した研究者に一任されている、というのが現状なのです。当然、いろいろな研究室に分散して存在していますし、お互いに共有されていませんから、そのデータ同士の突き合わせもできません。研究資金が数年で途絶えてしまったあとは、データを入れるサーバを維持することが難しくなって、すでに失われてしまっているものもたくさんあるかもしれないのです。

このような日本の状態は、例えば米国の状態と比較したときに、国の科学政策としてはとても不利な仕組みになっていることが分かります。まず、資金の効率という面でいえば、極めて非効率です。ごく一部の人だけが膨大なデータを持っていて、他の資金のない研究者の人たちはそのデータにアクセスできないわけですから、当然、研究者のポストも限られます。もしも、データが広く共有されていたら、日本で今問題になっている、ポスドクの就職先がないという問題は、大きく改善されるでしょう。なぜなら、小さい予算規模でも面白い研究ができるポストをもっとたくさん創り出すことができるようになりますし、ポスドクの方も、仮に研究所を変わっても昔の研究と連続性のある研究を継続することが容易になるからです。また、情報不足から来る無用な研究の重複も減るでしょう。

さらに、共有が進めば研究の速度も加速すると思われます。多くの研究者が同じデータを多角的に分析するのですから、当然です。そのことは、結果として、日本という国の国際競争力を上げることにつながるでしょう。

今、日本には、政府による公的資金の研究に関する戦略的・統一的政策というものが欠けていると感じます。科学政策を決めている政治家や官僚の方と何人かお話ししてみても、このような視点を持っている人は非常に少ないのが現状です。私のほうから、欧米の状況をご説明しても、総論ではそのような流れが欧米を中心に進んでいることには賛成しても、いざ日本がやるかというと、いろいろと共有できない理由を列挙されます。

その中には、今非常に注目されている省庁の縦割りの問題も存在しています。例えば、データ共有の重要性が指摘されているライフサイエンスの分野は、文部科学省、経済産業省、厚生労働省、農林水産省の四省庁にまたがって予算が分配されていて、この成果を共有する方法として、米国と同じように、例えばどこかに一つのセンターを作るとなると、どの省庁の下に作るのかについて、四省庁がなかなか合意できないのです。

もちろん、私としても、簡単に実現できることだとは思いません。しかし、できない理由を数えることはとても簡単なのです。そうしているうちにも、世界はどんどん進んでいきます。今、日本がしなければならないことは、いかに現状を変えないで済むかという議論ではなく、日本の科学競争力を高めるためにどう課題を克服すればいいか、という議論ではないでしょうか。

## †日本でのデータ共有

イノベーションを活性化するためには、やはり、日本にもデータを共有する仕組みを作ることは、非常に重要ではないかと思います。実際には、この仕組みをどのように実現するか、細かく見ていくといろいろな課題があります。

例えば、集めたデータはいつ共有すべきか。すぐなのか、受託した研究者のインセンティブを重視して、少し経ってからなのか。どの範囲で共有するのか。日本国内なのか、世界中なのか。例えば、米国のＮＩＨのデータは世界中からアクセスやダウンロードができます。しかし、日本では、世界中に公開すると、米国や中国に、先に成果を取られてしまうのではないか、という不安の声もよく聞きます。最近、科学政策の議論をすると、何となく日本の研究者や政策を決める官僚の人たちが、自信をなくしてきているように感じます。せっかく日本が採ったデータを海外にも公開したら、日本が研究開発競争で負けるのではないか、という、あたかも負けることが前提のような議論も最近よく聞きます。

私は、米国のスタンフォード大学に四年間留学していて、いろいろな分野の研究者が世界中から集まって切磋琢磨しているのを見てきましたが、個人的な印象として、決して日本人が素質として米国やヨーロッパ、中国の人々に劣っているとは思いません。日本の研究者は、皆とても緻密で真面目です。むしろ、問題は研究者の資質ではなく、環境の整備ではないでしょうか。研究ツールや研究データの整備、お互いに競争の中で切磋琢磨する環境の整備が、日本の競争力を上げるための喫緊の課題ではないかと思います。

そして、もう一つ、なぜ日本でのデータ共有が必要なのかというと、「日本の、日本による、日本のための発明・発見の加速」という観点が、分野によっては重要だと思うからです。例えば、地球規模の研究である環境研究や物理などの分野には、あまりあてはまらないかもしれませんが、例えば、医療分野の研究では、日本人は、他国民とは生物学的に特徴が違うかもしれないし、食生活、生活習慣、生活環境、気候など、いろいろな点が日本と欧米は違うわけです。「米国にはデータがあるんだから、日本の研究者もそれを見て研究すればいいではないか」という考えがあったとしても、その研究成果が本当に日本にテーラーメイドのものになるのかというと、そうはならないのではないかと思います。

この、科学データの共有については、私もここ数年、いろいろなところでお話をしていて、実は日本でも、ゆっくりではありますが、動き出しています。「知的財産推進計画2010」では、公的資金による研究成果、論文および科学データについては、原則としてオープン・アクセスを確保するという短期目標が掲げられています。そして、関連省庁として文部科学省や厚生労働省、経済産業省、農林水産省が挙げられています。今のところ、これらの四つの省庁が、それぞれ努力する、という形になっているので、省庁を超えた連携が取られるようになるにはまだ時間がかかりそうですが、とても重要な一歩として、是非、前進を期待したいと思います。

## †私的資金による研究の共有

これまでは、公的資金による研究成果を国としてどう共有して科学を推進するか、というお話をしてきました。これに加えて、私的資金による研究成果であっても、共有したほうが長い目でプラスになる場合もあると考えています。その理由として、多くの研究者の目に晒したほうが資金の効率が上がる、というのは私的資金でも同じことが言えます。しかし、他の企業や研究者に最終的な特許などの成果を取られてしまったのでは面白くない、というのは、営利活動を行う私企業としては、ある意味当然のことです。そこで、公的資金の場合に比べて、データ共有を進めるには、より積極的な動機が必要かもしれません。

その動機の一つとして、自社が推し進めている研究分野や研究手法の生態系を大きくして、世界的競争力を獲得するために、戦略的に基盤的なデータを出していく、ということが考えられると思います。これは、コンピュータ・サイエンスの分野では、比較的当たり前に行われています。

例えば、アップルは、アイフォンのアプリケーションを作るためのプラットフォーム関連の技術を公開して、アイフォン・アプリを第三者が開発しやすい環境を作っています。そのためには、もちろん、アップルの技術を一部公開するのですから、一瞬損をしているように思う人もいるかもしれません。しかし、それによって、たくさんのソフトウェア会社や技術者がアイフォン・アプリを作って公開し、販売すれば、アイフォンの人気はますます上がってアップルは得をしますし、アップル・ストアからの売り上げも増えるのです。つまり、一瞬損をしたとしても、その生態系を大きくすることによって、長期的にはアップルにとっても利益となるのです。グーグルのアンドロイドとアップルのアイフォンの間で、スマートフォン競争を繰り広げている現在の状況では、多くの人が集まるプラットフォームのほうが、最終的には競争に勝利します。ですから、オープン戦略を取ることにより、長期的には競争を有利に進めることができるのです。

同じことは、他のサイエンスの分野においてもあてはまるように思います。特に、研究が多角的になり総合力が必要とされるようなライフサイエンスの分野（例えばiPS細胞にまつわる研究など）では、幾つかの異なるアプローチや研究手法が提案されて、世界中で研究を競っています。研究者は当然、研究にあたって制約の少ない研究データ、研究手法に集まることになり、多くの研究者が参加する研究手法の周りでは、さらに新しい派生研究が生まれ、研究機器・マテリアルなどの開発も加速していきます。したがって、アイフォンと同じように、基本技術が広く公開・共有されている研究手法が世界の主流になっていくことは、十分ありうることだと思うのです。したがって、研究者を多く集めて生態系を豊かにしたい研究分野では、基本技術や基本データを敢えて公開し、共有するということは、長期的に勝利するための戦略として大いに考慮に値すると思うのです。

## †データ共有への法的課題

ここまで、世界的なデータ共有の流れなどをお話ししましたが、これを実現するための法的な課題について見ていきたいと思います。法的な課題としては、著作権、特許権、プライバシー、営業秘密の四つが考えられます。

この四つに共通することとして、情報の独占と共有というのは、バランスの問題だということがしばしば忘れられがちです。このバランスを原則としてよく理解することはとても重要です。近年の日本の知的財産強化のトレンドの中で、最近、自分が最初に手に入れたものは、当然、全部自分が独占できるのだと考える研究者が非常に増えてきているように思います。けれども、実は法律を見ると、自分が最初に手を入れたものはすべて独占できるとはどこにも書いてないのです。むしろ、著作権でも特許権でも、基本的な情報というものは、共有が原則になっているのです。

## †科学における事実とアイディアと著作権

第一章でご紹介したことですが、著作権は事実・アイディアは保護せず、表現のみを保護するものです。当然、このことは、科学の分野にもあてはまります。

科学の文脈でいえば、遺伝子がこういう働きをするという事実は、著作権では保護されません。その事実を論文に書くと、その事実をどのような構成で、どのように表現をしたかという点に著作権が発生するのです。

論文の著作権をめぐっては、判例がたくさんあります。よくあるトラブルは、AさんとBさんが共同で開発した成果について、Aさんが勝手に一人で論文を書いてしまった、というものです。そこでBさんは「その論文には私の著作権も入っているはずだ」ということで訴えるのですが、残念ながら、著作権侵害は認められないという判決になります。論文に記載されたアイディアや事実にBさんの貢献があることには争いがなくても、結局、著作権というのは文章表現を保護するものですから、Bさんが文章を書いていない以上、Bさんに著作権はないのです。

例えば、数学論文野川グループ事件という事件があります。この事件では、X（原告）とY（被告）は、脳波の実験的及び理論的解析に関し共同研究をしていました。その後、

Yが、昭和五十五年と昭和五十八年に、Xに無断で論文を学術雑誌に発表しました。Xは、これらの研究論文の著作権は、XとYの共同創作であって共有である、と主張して、裁判で争ったのです。大阪高裁は、以下のように判断して、Xの主張を退けました。

数学に関する著作物の著作権者は、そこで提示した命題の解明過程及びこれを説明するために使用した方程式については、著作権法上の保護を受けることができない……。一般に、科学についての出版の目的は、それに含まれる実用的知見を一般に伝達し、他の学者等をして、これを更に展開する機会を与えるところにあるが、この展開が著作権侵害となるとすれば、右の目的は達せられないことになり、科学に属する学問分野である数学に関しても、その著作物に表現された、方程式の展開を含む命題の解明過程などを前提にして、更にそれを発展させることができないことになる。このような解明過程は、その著作物の思想（アイデア）そのものであると考えられ、……著作権法上の著作物に該当しない……。

同じように、発光ダイオード論文事件では、大阪地裁が以下のように判断しています。

自然科学上の法則やその発見及び右法則を利用した技術的思想の創作である発明等は、万人にとって共通した真理であって、何人に対してもその自由な利用が許さるべきであるから、著作権法に定める著作者人格権、著作財産権の保護の対象にはなり得ない。

それでは、勝手に他人のアイディアを盗んで論文に書いても合法なのか、というと、それはあくまで、著作権法においては合法だ、というだけです。もちろん、研究者倫理に照らして勤め先の研究機関で問題になったり、そのことによって地位を失ったり、研究者コミュニティで立場を失ったり、というように、他の形での法的、社会的制裁はあることでしょう。しかし、著作権法で解決する問題ではない、ということなのです。

ついでに、特許権についても少しお話ししますと、同じように特許権についても、科学法則や事実の発見そのものは保護されません。特許権は、産業分野に応用された発明にのみ与えられるもので、例えば、何か法則を見つけたとしても、その法則だけでは特許発明にならないのです。例えば、DNAの塩基配列そのものに特許性があるかについては、一九八〇年から世界中で議論を呼んできましたが、現在では、遺伝子の配列や部分的配列を単純に発見しただけでは、特許性がないとされています。一方、日米欧などでは、その遺伝子配列の一部分を取り出して機能を解明したり、病気の診断に使うなどの用途を見つけた場合には、遺伝子研究分野のインセンティブを与える目的から、特許発明として保護してきました。ところが、近年では遺伝子の機能の解明が容易となってきたからでしょうか、二〇一〇年に米国のニューヨーク南部連邦地方裁判所で、乳がんの遺伝子診断に用いる遺伝子特許は特許性がなく無効だとする判決が出て、大きな話題を呼んでいます。

つまり、著作権でも特許権でも、事実や発見というものは、もともと国民（広く人類と言ってもいいかもしれませんが）に共有されるべきものだというのが法律の大前提としてあるわけです。その上で、そこから具体的に論文を書くとか特許発明が生まれるとか、より具体的、応用的な成果について誰かが貢献をすれば、その成果については独占をさせてインセンティブを与えるわけです。このような共有と独占のバランスは、もともと法律が予定していたことなのです。

ですから、事実に極めて近い研究の生データを誰かに独占させないで共有させる、ということは、著作権的な観点で見た場合に、まったく不自然なことではないのです。

## †データベースの創作性

また、データそのものではなく、データベースにも、著作権がないものがたくさん存在していると言われています。データベースの著作権は、実は、情報の選択または体系的な構成に創作性がある場合にだけ与えられるもので、そのデータベースに収録されているデータが、全部自分の著作権の対象になるということではないのです。

創作性があるというのは、第一章でも簡単にご説明したとおり、要するに、表現パターンが何通りあるか、ということです。例えば、データセットがあるとします。データセット自体は事実ですから、基本的に著作権では保護されません。そして、このデータセットをデータベースに組むときに、その情報の選択や体系的構成が何通りあるかを考えます。例えば二〇人がやったら二〇通り違う、一〇〇人やれば一〇〇通り違うというのであれば、その一つ一つに創作性があるということになるのです。

逆に、誰がやってもたいてい同じになる場合や、誰もがすぐに思いつくような情報の選択や体系的構成は、創作性がなく、データベースとしての著作権はないのです。

例えば、あいうえお順に並べた名簿には著作権はありません。名前をあいうえお順に並べるというのは、誰でも思いつくことですし、あいうえお順に並べれば誰でも結果は同じになるわけですから、そのようなありふれた並べ方をしたものは、創作性がないのです。同じように、データベースも、その分野の研究者であれば誰でも思いつくようなデータの組み合わせ方では、著作権がないのです。また、関連するデータをすべて集めたものには著作権が成立しにくいとも言われています。

例えば、一万あるデータのうち、一定の観点で取捨選択して編集したものには、著作権が成立するかもしれません。しかし、一万あるデータをすべて、というのは、誰がやっても同じ結果になるわけですから、創作性がないのです。したがって、解析機から取り出したばかりの網羅的なデータであればあるほど、著作権がない可能性が高いのです。しかし、研究という観点から見れば、このように網羅的なもののほうが使いやすい場合も多いでしょう。したがって、共有したいデータセットというのは、もともと著作権がないものも実はたくさんあるのではないかと議論されています。

## †共有のためのライセンス

しかし、論文には著作権が明らかに存在しているわけですし、データベースの中にも、著作権のあるものもあるかもしれません。そこで、これらの論文やデータベースを公開したり共有したりするにあたっては、一定の条件を付けたいという動きが出ています。ライセンス、利用条件、公開ポリシーなどと呼ばれているものです。

これらのライセンスを提示することにはメリットもあります。権利者から見て、自分が想像しない使われ方を防止するメリットもありますし、利用者から見たときには、何ができて、何ができないのかがよく分からないという疑問が減り、公開している研究者に確認を取るコストが少なくなるメリットがあるわけです。そこで、最大の問題は、利用条件をどのように付ければよいか、ということです。

オープンなデータ共有をめざしてデータや論文をウェブに載せる研究者の方は、多かれ少なかれ、公開しているデータや論文を皆さんに使ってほしいと思っています。そう思ったとき、どんな条件を付けるかというところで必ず考えてほしいのは、データや著作物を共有するモデルでは、標準化されたライセンスを使いましょう、ということです。

第六章で詳しくお話ししますが、共有モデルでは、著作物が人から人へシームレスに移動し、広く共有されることで、教育、研究、創作といった分野で最大限の価値を得ることをめざしています。ライセンスはこのシームレスな移動を法律的に実現するために用いられるのですから、技術と同様に、標準化されることが非常に重要なのです。例えば、A先生のコンピュータからB先生のコンピュータへデータのファイルが移動するとき、コンピュータどうしを接続するコードの差し込み口の形が違ったりしたら、ファイルはうまく移動できません。誰も、USB接続の仕様をコンピュータごとにカスタマイズしようなんて考えもしないでしょう。これらのインフラは、誰もが共通な仕様を使い、相互に互換性があることに価値があるからです。技術的なレベルでは、皆がこのことを理解しています。

ところが、共有モデルのもう一つの重要なインフラであるライセンスとなると、通常の契約交渉で用いられる個別ライセンスの印象が強すぎるためか、共有を実現するためのライセンスを自分の希望するルールにカスタマイズしたいと考える人がたくさんいるのです。しかし、これはUSB接続の仕様をコンピュータごとにカスタマイズするに等しい失敗です。AさんとBさんがデータを共有するルールと、BさんとCさんがデータを共有するルールが違ったのでは、AさんとCさんは簡単にデータを共有できなくなってしまい、せっかく同じ志を持った人たちどうしなのに、ライセンスの違いが邪魔をして、ネットワークが広がらなくなってしまいます。

このような事態を避けるためには、著作物を共有して新しい価値を生み出したいと願う権利者は、ライセンスをカスタマイズする前に、本当にそのカスタマイズは必要なのか、標準化された（または互換性のある）ライセンスを使ったほうがよいのではないか、と問う習慣をつけることがとても重要なのです。

このお話をしますと、研究者の方によく言われるのは、「しかし、私がほしい条件が、標準ライセンスとして勧められたものには入っていないんです」とか、「この条件が気に入らないんです」というようなことです。どうしても一〇〇％自分の望むものにしたいと考えますと、カスタマイズしたライセンスを採用することになります。自分の希望する条件をすべて入れて公開すると、公開する側としては非常に安心感があるわけです。したがって第一次公開はそれで進む可能性があるのですが、その後がつまずいてしまうのです。

Aさんの条件とBさんの条件、そしてCさんの条件は全然違ってきて、その条件を一つ一つ確認するのも大変ですし、Aさんは「これはしてもいいが、あれはだめ」と言っていて、Bさんは「これはだめだが、あれはいい」と言っていると、結局この二つの条件は両立しないので、AさんとBさんのデータを組み合わせることはできないのか、など、非常に複雑な問題が出てきてしまうわけです。

したがって、多少気に入らないことがあっても、大きな目で見て基本的に問題がなければ、標準化したライセンスを使うという割り切りが非常に重要なのです。特に理系の方は非常に緻密な方が多いので、あらゆるパターンを想定して、非常に細かいことまで、あんなこともあるかも、こんなこともあるかも、と条件設定に凝ってしまう方がいます。

しかし、弁護士という立場で言わせていただくと、そうしていろいろと考えたトラブルが実際に起こる可能性は、ほんの一%か二%くらいではないでしょうか。そんな小さな可能性のために、あまり条件を複雑にしたりカスタマイズしたりすると、公開する側も利用する側も、結局、不要なコストを強いられることになります。それに、一度公開してしまったら、すっかり条件のことなんて忘れてしまう研究者の方も多いのです。ですから、条件については、もう少し大らかに考えてもらえればよいのではないかと考えています。

## †サイエンス・コモンズ

このようなデータ共有の法的条件整備を進めるプロジェクトとして、科学の分野では、米国に、「サイエンス・コモンズ」というプロジェクトがあります。次章でご紹介する米国のNPOクリエイティブ・コモンズの中で科学情報に特化したプロジェクトです。データや論文の共有をどのように進めたらよいかを考え、提案やプロトコールを作ったり、「こういうライセンスがお勧めです」という標準ライセンスを作って、ルールの標準化に取り組んだりしています。日本でもサイエンス・コモンズ翻訳プロジェクトがあり、まずウェブページの翻訳から始めています。

このサイエンス・コモンズが提案をしていることを、論文と科学データについて簡単にご紹介したいと思います。論文については、クリエイティブ・コモンズの「表示ライセンス」というライセンスを使ってくださいと推奨しています。表示ライセンスというのは、権利者の名前などのクレジットを表示すれば、複製や改変、公衆送信などの利用を自由に行ってよい、というライセンスです（詳しくは第六章を参照）。

先ほどもお話ししたとおり、最近では、論文からオントロジー（概念、用語やその関係について、体系的に分類、整理、明確化したもの）を作ったり、いろいろなデータとマッピング処理をしたり、データ・マイニングをしたり、と複雑な使い方が出てきていますから、単に論文を複製して読めるだけでは不十分になってきています。そのため、論文のライセンスにおいても、改変や公衆送信も含めて許諾をしてください、という提案をしているのです。また、営利の研究機関の利用も許諾するように提案しています。

これに対してデータの利用条件については、より先端的に、権利を許諾するのではなく、権利そのものを放棄することを提案しています。このお話をしますと、ほとんどの研究者の方は最初、驚かれるのですが、これを提案するには、それなりの理由があります。かつてはサイエンス・コモンズも、データベースの著作権について、権利放棄を提案していたわけではありませんでした。しかし、様々な研究機関がデータを公開する際の利用条件がばらばらであることを問題視した彼らは、統一的な利用条件（ライセンス）をサイエンス・コモンズで提案しようと考え、二〇〇八年に弁護士を集めてデータ公開の利用条件を検討するタスクフォースを作ったのです。

その第一歩として、現在使用されているデータの利用条件は、どんな内容なのかを分析しよう、そして、その中でどれが一番優れているかを検討したり、研究者にヒアリングしたりして、推奨すべきライセンスを作ろう、というプロジェクトだったのです。

ところが、このプロジェクトを進めるうち、様々なデータの利用条件を読んで分析している弁護士どうしが、毎日大議論になってしまったというのです。利用条件をどう読むのか、どう解釈するのか。これとこれは同じ意味なのか、違うのか。これとこれは組み合わせができるのか、できないのか。これらのことを議論するのは、当初考えていた以上に複雑なパズルで、これを一〇人ぐらいの弁護士で毎日議論した結果、途中で疲労困憊したというのです。

彼らは、弁護士がやってもできないのに、まして、法律のトレーニングを受けていない科学の研究者が、弁護士に相談しないでこれらの利用条件を自分で理解できるかというと、絶対ノーだという確信に至りました。その結果、データの利用条件というのはできるだけシンプルかつ自由にして、このライセンスを読み解くコストを最小限にすることが重要だという結論に至ったというのです。

その結果、最もシンプルな利用条件として、この権利放棄を提唱するに至っているのです。彼らも、データを提供した研究者や研究機関の名前を表示する、などの条件は重要だと考えています。しかし、これらの表示は、研究者コミュニティのルールや研究者倫理など、著作権ライセンス以外の方法で担保すべきだ、と提唱しています。もちろん、研究者コミュニティがすべてこの提案に賛成しているわけではなく、現在でも、最も好ましい共有のための条件は何か、については議論が続けられています。しかし、ライセンスの違いが生み出すコストを示すものとして、とても興味深いエピソードだと思います。

### †その他の法的課題

他に、科学データや研究手法、研究成果の共有にあたっては、特許権の問題、プライバシーの問題、営業秘密の問題などがあり、法律的にはなかなか難しい課題もありますが、これらの分野についても、今、解決策が模索され、それぞれに動き出しています。例えば、特許権については、著作権と同じように、標準化したライセンスを作って事前にライセンスしよう、という動きが出始めました。ゲノム情報や医療情報のプライバシーについては、個人情報を削除したり、削除できない場合には倫理審査を行った上で限定的に共有するなど、プライバシーを保護しつつ成果を安全に共有する方法が確立しつつあります。

一方、営業秘密については、そもそも秘密として管理するかはその企業や研究機関が戦略的に決める問題です。したがって、「営業秘密だから開示できない」のではなく、開示しないと決めたものが営業秘密、ということなのです。開示するかしないかの決定は、総合的に見て共有したほうがよいかどうかという政策的な観点から行うことになるのです。

第六章

# 柔軟な著作権制度へ

——フェア・ユースとクリエイティブ・コモンズ

## †今、なぜフェア・ユースなのか——例外規定の重要性

この本の第二章、第四章では、デジタル・ネットワーク時代に入って、著作権が生み出す問題が加速度的に複雑化していること、けれども、著作権法は根本的に変更することはできないどころか、ますます強化されつつあることをお話ししました。

では、十九世紀末にできた著作権法の枠組みのもとで、二十一世紀のわれわれは何もできないのかというと、手段は限られていますが、できることもあります。その一つが、今日本で盛んに議論されている、フェア・ユース規定の導入です。

ベルヌ条約では、基本的に著作権者に与えなければいけない権利の種類などが決まっていて、これを変更することはできないのですが、例外的に権利が及ばないこととする、いわゆる例外規定については、一定の要件のもとであれば、各国がある程度自由に設計することが許されています。そこで、ベルヌ条約を守りながらも、現状に合わせて不都合な面を解消していく一つのツールとして、例外規定の重要性が高まってきているのです。

## †個別例外規定とその問題点

実際、日本でも、最近は毎年のように例外規定を追加したり修正したりしています。平

成二十一（二〇〇九）年改正では、一〇以上の新しい規定が追加され、文化庁は「平成の大改正」だと謳っています。これまでのところ、日本は、個別の利用事例ごとに、細かく条件を定めた例外規定（これを「個別例外規定」と言います）を追加していくというアプローチをとってきました。時代の流れとともに、新しい問題が起こってくれば、その問題に対応した形で、必要となる例外規定を個別に立法して対応する、ということです。例えば、平成二十一年改正で導入された例外規定の中で一番有名なのが、検索エンジンを合法化するための例外規定の立法でしょう。

かつて、検索エンジンがなかったときには、そのための例外規定はもちろん必要ありませんでした。インターネットの発達とともに検索エンジンが登場してきましたが、有力な検索エンジンであるグーグルやヤフーは、米国の技術です。そこで、日本でも、日本発の検索エンジンを作ろうという動きが議論されたり、どうして日本からはグーグルのような企業が出てこないのか、と議論されたりしました。その時に指摘された問題の一つが、著作権です。

検索エンジンでは、毎日、インターネット上のホームページの情報を集めてインデックスを作成する必要があります。しかし、このような情報の収集、記録、インデックス作りは、著作権違反ではないのか？という疑問があり、そのことが企業を萎縮させているのではないか、というのです。そこで、検索エンジンに必要な作業が合法にできるための例外規定を追加しよう、という議論になりました。

ところが、この立法には、実際に足掛け三年の年月がかかりました。二〇〇七年に議論を開始して、結局立法されたのは二〇〇九年。個別の立法作業では、審議会を設けて方針を議論し、必要があれば関係者のヒアリングをして方針を決定したあと、実際に条文を起案して法務省などのチェックを受けるという作業を経て、国会で審議することが必要です。そのため、二〇〇三年以降の法律改正を見ると、改正事項が審議会で取り上げられてから改正法の施行日まで平均で三〇カ月かかるというデータがあります。検索エンジンに関する例外規定も、ほぼ平均並みの時間がかかったとみることができるのです。実際には、審議会に取り上げられるまでにも多くの時間が必要な場合も多いので、その分も考えると、法律を改正するというのは、とても時間のかかる作業だということが分かります。

立法までに時間がかかることに加えて、近年の個別例外規定の立法では、いろいろな問題があると考えています。

一つは、著作権法が「業界法」から「お茶の間法」となり、今や小学生や中学生にも密接に関わってくる法律となったにもかかわらず、ますます複雑で分かりにくい法律になってきていることです。例として、二〇七頁に、先ほどご紹介した検索エンジンの例外規定

（送信可能化された情報の送信元識別符号の検索等のための複製等）
**第四七条の六**　公衆からの求めに応じ、送信可能化された情報に係る送信元識別符号（自動公衆送信の送信元を識別するための文字、番号、記号その他の符号をいう。以下この条において同じ。）を検索し、及びその結果を提供することを業として行う者（当該事業の一部を行う者を含み、送信可能化された情報の収集、整理及び提供を政令で定める基準に従つて行う者に限る。）は、当該検索及びその結果の提供を行うために必要と認められる限度において、送信可能化された著作物（当該著作物に係る自動公衆送信について受信者を識別するための情報の入力を求めることその他の受信を制限するための手段が講じられている場合にあつては、当該自動公衆送信の受信について当該手段を講じた者の承諾を得たものに限る。）について、記録媒体への記録又は翻案（これにより創作した二次的著作物の記録を含む。）を行い、及び公衆からの求めに応じ、当該求めに関する送信可能化された情報に係る送信元識別符号の提供と併せて、当該記録媒体に記録された当該著作物の複製物（当該著作物に係る当該二次的著作物の複製物を含む。以下この条において「検索結果提供用記録」という。）のうち当該送信元識別符号に係るものを用いて自動公衆送信（送信可能化を含む。）を行うことができる。ただし、当該検索結果提供用記録に係る著作物に係る送信可能化が著作権を侵害するものであること（国外で行われた送信可能化にあつては、国内で行われたとしたならば著作権の侵害となるべきものであること）を知つたときは、その後は、当該検索結果提供用記録を用いた自動公衆送信（送信可能化を含む。）を行つてはならない。

例外規定の条文

の条文をご紹介してみましょう。

タイトルに検索、という単語が出てくるため、かろうじて検索エンジンに関することだというのは分かると思うのですが、条文の内容を何の解説もなく理解できる人はとても少ないでしょうし、そもそも、法律の専門家でない人が読もうという気持ちになるかというと大いに疑問な規定です。例えば、「情報の送信元識別符号」という言葉が出てきますが、これは、いわゆるURLのことだ、というのを解説されずに理解できる人は、法律専門家でも存在しないでしょう。また、よく見ると、いろいろと例外の例外（つまり、複製してはいけない場合）が設定されていて、検索エンジンのためであれば複製などを認めましょう、というような簡単な内容ではないことが分かります。

個別例外規定は、このように、近年複雑の一途をたどっているだけではなく、細切れの条件設定も日常化しています。第二章で、コンピュータで情報を視聴することはオンラインなら合法だがオフラインだと違法になるという規定をご紹介しました。これも、例外規定がパッチワーク化している典型例で、私は非常に問題だと思っています。

さらに、個別例外規定のもう一つの問題点は、立法に取り上げられる課題と、取り上げられない課題の間に不平等が発生しているのではないか、ということです。著作権の例外として扱ったほうがよいかもしれない事例は、世の中にたくさんあります。しかし、それが法律改正につながるためには、文化庁がその問題を取り上げようと決定して審議会にかけなければなりません。そこで、結局は、文化庁に声を届けることができる一部の利用者や権利者の声だけが反映されてしまい、文化庁に何らパイプのない人たちのニーズは反映されないのではないか、ということが問題なのです。

例えば、平成二十一年改正では、「情報解析のための複製等」という条文が入りました（四七条の七）。この条文では、コンピュータを使った情報解析を行う場合に、その解析に必要な著作物を記録したり翻案したりできる、と規定されています。そして、この「情報解析」とは「多数の著作物その他の大量の情報から、当該情報を構成する言語、音、影像その他の要素に係る情報を抽出し、比較、分類その他の統計的な解析を行うこと」であると定義されています。つまり、この定義含まれる特定の研究についてだけ、その研究に必要な著作物を記録媒体に記録することなどが認められたのです。

どうして、このような情報を抽出、比較、分類して統計的な解析を行うという研究だけが特別に例外とされたのでしょうか。それは、このような研究をしている人たちの中に、文化庁へのロビイングのパイプを持っている人がいて、他の研究をしている人にはいなかった、ということなのです。実際には、国が予算をつけて進めている研究の中にこのような研究があったから、ということのようです。

もちろん、省庁どうしであれば、ネットワークがありますから、文化庁に対して、自分が予算をつけている研究が合法になるように依頼することができるでしょう。けれども、すべての研究者にそのようなチャンスがあるわけではありません。その結果、特定の研究だけが優遇され、そうでない研究は著作権の問題に悩まなければならない、という事態が発生してしまっているのです。

## †一般例外規定導入の機運

これまで見てきたような個別例外規定に対して、いろいろな場面にあてはめることのできる、抽象的、包括的な要件を定めた規定を、一般的な要件を定めた規定という意味で「一般例外規定」と言います。一般例外規定は、今の日本の著作権法には存在していません。

しかし、二〇〇八年に知的財産戦略本部では、「デジタル・ネット時代における知財制度専門調査会」という調査会に有識者を集めて著作権のあり方を審議し、日本版フェア・ユース規定、つまり一般例外規定の導入を提言しました。「近年の技術革新のスピードや変化の速い社会状況を考えれば、個別の限定列挙方式のみでは適切に実態を反映することは難しく、著作権法に定める枠組みが社会の著作物の利用実態やニーズと離れたものとなってしまうという懸念がある」というのがその理由です。これを受けて、知的財産戦略本部は、「知的財産推進計画２００９」において、一般例外規定（日本版フェア・ユース規定）の導入に向けて、早急に措置を講ずるという方針を打ち出し、この方針に基づいて、文化庁で具体的な規定の導入に向けた審議が始まりました。

日本の議論を細かく見ていく前に、一つのモデルとなっている米国のフェア・ユースとはどのような規定なのかを少し見ていきましょう。

## †米国のフェア・ユース

米国では、個別例外規定は非常に数が限られています。多くの部分を、フェア・ユースという一般例外規定でカバーしています。その条文は次頁でご紹介しますが、要するに、著作物を誰かが権利者に許諾を得ないで利用した場合に、①利用の目的・性質、②利用された著作物の性質、③利用された著作物の量や実質性、④利用行為が著作物の潜在的市場や価値に与える影響、という四要件を総合的に考慮して、その利用が公正な利用であったかどうかを判断する、という内容です。ちなみに、これらの要件は限定列挙ではなく、これ以外の要件も考慮することができることになっており、非常に柔軟な規定になっています。もともと、米国の裁判所で判例が積み上がったものを一九七六年に明文化した規定で

**第107条　排他的権利の制限：フェア・ユース**

第106条および第106A条の規定にかかわらず、批評、解説、ニュース報道、教授（教室における利用のために複数のコピーを作成する行為を含む）、研究または調査等を目的とする著作物のフェア・ユース（コピーまたはレコードへの複製その他第106条に定める手段による利用を含む）は、著作権侵害とならない。著作物の利用がフェア・ユースとなるか否かを判断する場合に考慮すべき要素は、以下のものを含む。

(1) 利用の目的および性質（利用が商業性を有するかまたは非営利的教育目的かを含む）。
(2) 著作物の性質。
(3) 著作物全体との関連における利用された部分の量および実質性。
(4) 著作物の潜在的市場または価値に対する利用の影響。

上記のすべての要素を考慮してフェア・ユースが認定された場合、著作物が未発表であるという事実自体は、かかる認定を妨げない。

米国著作権法のフェア・ユース規定

す。

この四要件を一つずつ簡単に見ていきましょう。第一要件は、著作物が使われたときに、利用した人がどんな利用の仕方をしたのかを見ようということです。利用の仕方をして、自分の創作性を足している改変をして、自分の創作性を足している使い方のほうが、よりフェア・ユースを認める方向に働く、と言われています。社会から見て、そのまま利用するよりも自分の創作性を足したほうが、社会に対してより貢献しているという考え方を、米国は持っているからです。

また著作物を利用したことによってお金を儲けたのか。もしくは、教育目的なのか、福祉目的なのか。それから、利用者が例えば盗んできて使ったなど、悪いことをしていないかどうか。このように、第一要件は利用者側の対応を見るという要件になっています。

第二、第三の要件は比較的簡単です。引用された著作物が事実に近いのか、それともフィクション等のように創作性が高いのか、公表済みか、などが考慮されます。それから、これは立法過程の資料で言われていることですが、本が絶版なのか、今でも市場で買えるのか。どれぐらいの量を使ったのか。ただ、これらはすべて一考慮要素ですから、例えば作品を全部コピーしたからだめ、というように、一つの要素がだめだったらフェア・ユースではないという話ではなく、いわば、それぞれの要素に個別の点を付けていって、最後に総合点で決めることになっています。

最も議論を呼んでいるのが第四要件です。利用された著作物の潜在的市場や価値にその行為がどういう影響を与えたのかということです。最も重要な要件であるとしばしば言われていますが、ここで比較すべきは、一方で、利用行為によってどれぐらい市場に対する影響が出たのかということに対して、反対側に置かれるのは、使った人の利益ではありません。その利用行為によって世の中が得た利益、それによってどういう文化の発展や競争の促進があったか、ということが考慮されます。

例えばリバース・エンジニアリング目的でソフトウェアをコピーをし、それを解析したとしましょう。その結果、作った製品は元コピーしたものとは全然違う、別のソフトウェアだという例を考えます。確かに、元の著作物のコピーはあるけれども、それによって結果的にソフトウェアの種類が増え、市場の競争が促進されているという場合には許容していいのではないか等、世の中が得た利益を考えるという考え方です。

したがって、ここで権利者の側が失う潜在的市場の価値というのはライセンス料ではありません。もしも、ライセンス料だということになると、フェア・ユースがなかったらライセンス料がもらえたのに、それがもらえなかったことが、潜在的な市場へのダメージだということになります。これでは、結局、すべての事例がフェア・ユースではないということになっていってしまうので、そういう考え方ではありません。では、どういう考え方なのかというと、いろいろな議論がありますが、一番よく言われているのは、利用が認められたような類型の行為が広がっていった場合に、その行為がどれぐらい元の著作物の売れ行きに影響を与えるのかということです。

例えば、米国最高裁の有名なフェア・ユースの事件にキャンベル事件があります。「プリティ・ウーマン」という有名な楽曲をパロディにして商業的に販売したという事件です。最高裁は、商業的な利用にもかかわらずフェアユースを認めました。なぜなら、「プリティ・ウーマン」のパロディのCDが売られたことによって、元の曲が売れなくなることはあまりないだろう、と判断したからです。

## フェア・ユースのメリット

このようなフェア・ユース規定（一般例外規定）のメリットは、幾つか考えられています。

一つには、様々な事例に柔軟に対応できることです。今でも、形式的には著作権侵害のように見えるけれども、それは違法にすべきではない、という判断のもとに、すでに存在している著作権法のいろいろな規定を、いわば無理やりに解釈して、著作権侵害を回避させているような判例が日本には幾つか存在しています。フェア・ユースのような規定を導入すれば、これらの事例で裁判官も判断しやすくなるのではないか、ということです。例えば二〇〇二年に東京高裁が判決を出した「雪月花事件」という事件があります。この事件は、照明器具のカタログに写っていた和室の床の間に、ある書家の掛け軸が飾ってあり、これが写り込んでしまった、という事件でした。

非常に小さな写真でしたが、掛け軸の書家のご遺族の方が、著作権侵害だといってそのカタログを出した会社を訴えたのです。最終的に、このカタログは複製権の侵害ではない、という結論にはなったわけですが、その理由付けにあたっては、「軽微な利用だから」という理由や「これで、掛け軸が売れなくなるとは思えないから」というような理由ではなく、「書の創作性は、墨のにじみやかすれなどにあるところ、この写真は、そのにじみやかすれなどの創作性が再現されていないから」侵害ではない、という説明を裁判所はしたわけです。そのような説明は、少し苦し紛れな感じがします。もしも、フェア・ユース規定があれば、例えばこういう写り込みの事件などについて、裁判官はもっと簡単に、より実質的な理由で判断することができるのではないか、ということです。

二つ目のメリットは、一般例外規定による規制は、個別例外規定とは異なって、事後規制だということです。個別に著作権が免除される範囲を事前に決めておく個別例外規定は、いわば事前規制です。ルールを事前に定めておき、何が違法で何が合法かの線引きがあらかじめされていて、人々がそのルールに従うことが期待されています。

これに対して、抽象的な要件だけが定められている一般例外規定では、何が合法になるのかを、利用者である国民が自分で判断して行動を起こし、その利用について実際にトラブルとなって訴訟に発展した場合に、裁判官が事後的にその行為を評価するという仕組みになります。その結果、例えば、リスクをとっても新しいことに挑戦したいベンチャー企業や、コンプライアンス義務を負っている上場企業が、もう少し新しいことにトライできるようになるのではないか、その結果、日本にもっとイノベーションが起こるのではないか、という議論です。

三つ目のメリットは、立法にチャンネルを持たない人たちのニーズを裁判官が汲みとる道が拓けるのではないか、ということです。先ほど、個別例外規定の問題点としてご紹介したように、研究、教育など、社会的貢献の大きい著作物の利用はたくさんありますし、法律上は違法だけれども、実際には誰も違法だとは思っていない利用なども存在していますが、なかなか立法プロセスにたどり着けないものも多いのです。これらの利用について、裁判官がフェア・ユース規定のもとで合法だと判断してくれることにはメリットがありますし、一つ一つを立法するよりもタイムリーに対応できる可能性もあります。

## †フェア・ユースのデメリット

一方で、もちろんフェア・ユースには、デメリットもあります。最も議論されている点は、予測可能性が低いということです。最終的に、裁判官がどう判断するのかを確実に予想することが難しい。これは米国でもよく言われていることです。

具体的に説明しますと、先ほどご紹介した米国のフェア・ユースの四つの各要件にそれぞれ点を付けるとしましょう。一〇点満点で八点というような点が付けられればいいのですが、そういうわけではありません。例えば第一要件ではフェア・ユースを認めてもよい方向だけれど、第二要件はむしろ否定的、第三要件は肯定的という形で評価します。ところが、この要素ごとの判断自体がそもそも裁判官でぶれてしまうということもあるわけです。さらに、要素ごとの判断が同じで、例えば一と二は肯定的、三と四は否定的と判断されたとしても、総合点を付けたとき、これまた裁判官によって判断が異なってしまうことがあるのではないか。そういうことが最も大きな問題として言われています。

日本でも、このように、予測がつかないことを警戒する議論が盛んです。しかし、文化庁のフェア・ユース規定導入に向けた中間まとめでは、法社会学の専門家である東京大学の太田勝造教授の意見として、「仮に一般制限［例外］規定を導入する必要性が肯定されるのであれば、新制度導入当初の混乱は、ある程度やむを得ないものであり、導入当初のコストとして受け入れるべきである」という意見が紹介されています。当然、新しいことを始めるときには、最初の期間に多少のトライ・アンド・エラーがあることは仕方のないことでしょう。けれども、それを恐れていたのでは、いつまで経っても新しいことは始められないのです。

また、このような予測可能性の難しさということでいうと、例えば日本の民法の信義則や権利濫用、不法行為のような基本的な規定や、借地借家法の解除における「正当な理由」など、極めて抽象的で一般的な内容の規定は他の法律ではすでに存在していて、本質的には同じ問題があるのです。けれども、これらの一般規定の裁判実務の運用では、裁判官の判断により、それなりに柔軟かつ安定的な運用がなされていると評価されています。

加えて、日本でフェア・ユースを導入するときに、このような予測可能性の低さが、米国と完全に同じかというと、少し違うのではないかと思っています。米国と日本では、そもそも導入するときの位置づけが異なるためです。今日本で議論されているのは、すでに存在する個別例外規定の補充的な位置づけにしましょう、ということです。

米国では、フェア・ユースが例外規定の中の原則で、私的複製のようなものから、検索エンジンまで、ありとあらゆるものがフェア・ユースに包含されていて、とても守備範囲が広いのです。しかし、日本では、ある程度個別例外規定で固まっている範囲があって、そこへ補充的に付けるわけですから、そういう意味では、役割がかなり違うのではないかと思います。

それに加えて、私が常日頃感じるのは、日米の裁判官の気質の違いです。米国というのは、裁判官に限らず、個人の自己主張が非常に強い国ですので、米国の裁判官は判決の中でしばしば、自説をとうとうと述べます。しかし、日本の裁判官は非常に勉強熱心で、かつ、ご自身の主張をあまり強く言う方も相対的には少ないと思います。

また、米国の裁判官は、その地区の上院議員が推薦し大統領が指名して選任されます。

ですから、その裁判官がもともと民主党側なのか、共和党側なのかということが判決に非常に影響すると言われています。加えて、例えば、ニューヨークを管轄している第二控訴巡回裁判所は、著作権者であるレコード会社や映画会社が実質上ニューヨークに本社を持っている関係で、権利者に有利な判決が出やすいと言われてきました。

これに対して、日本の裁判官は、このような政治的な立場に影響されたりすることはほとんどありません。そういう意味で、裁判官によって政策的に結論が左右される、ということは、日本では起こりにくいのではないかと考えています。

## †予測可能性と柔軟性のトレードオフ

そうは言っても、特にフェア・ユース規定が導入された初期の段階では、どんな結論になるのか分からない、という面は確かにありますし、分からないからこそ価値がある、という面もあると思います。事前に条件や結論が分かっているのであれば、全部、個別に立法すれば済む、と考えることもできます。むしろ、時代とともに例外規定についても必要性が変わってきて、新しい要請が社会に出てくるからこそ、一般例外規定が必要だという議論なのですから、予測のつかない事例が出てきて、最初はその判断がどちらになるのか分からない曖昧さがあることは、避けがたいことではないかと思います。確かに、予測可能性が低いことはコストであるという面はありますが、予測できないけれども救済される可能性があるものを作るということと、いわば表裏一体であり、どうしても避けられないコストともいえるのではないでしょうか。

ところが、二〇一〇年四月に文化庁が出した中間まとめでは、「著作物の利用に関する社会通念に法律を適合させ、また、社会の急速な変化に適切に対応するため」に、一般例外規定を導入したほうがよい、としつつも、一方で「権利制限の一般規定の要件や趣旨をある程度明確にするなど、我が国の現状や関係者の意見に配慮した制度設計をする」必要があるとして、かなり具体的な三つの類型だけを取り上げて、一般例外規定として立法する方向で検討し、そして、その三つ以外の類型については、別途、個別例外規定を立法して解決すべきだ、という結論になっています。

そして、一般例外規定に含めるべきであると提案している三つの類型を見ると、そのいずれも、かなり限定された内容になっていて、実際には、三つの個別例外規定を作っているのとあまり変わらないとも思えるのです。

例えば、一つの類型として、「実質的には権利侵害とは評価できない場合であっても、形式的には権利侵害に該当してしまう」ような「形式的権利侵害行為」をカバーするための例外を設けるとしています。これは、先ほどご紹介した「雪月花事件」における写り込みのような、付随的で軽微な著作物の利用を例外と定める趣旨の類型です。

このような場合が明確に例外とされることには、一定の社会的意義があるでしょう。しかし、文化庁が現在提案している条文は、近年の個別例外規定の場合と同様に、いろいろと細かい条件の付いた文言なのです。そのような細かい条件を盛り込んだ条文では、一般例外規定であることのメリットが失われてしまうのではないかと心配です。

私は、関係者の合意が比較的得やすいと思われる三つの限定的な類型に限って立法する、という方針自体にも批判的です。そもそも、一般例外規定の導入が知的財産戦略本部で提言された理由は、技術革新や社会の変化のスピードに鑑みて、個別例外規定の立法のみでは、社会の著作物の利用実態やニーズに適切に対応できない、というものでした。この理由に照らせば、せっかく「一般例外規定」を導入する以上、もっと多様な類型に対応できるような柔軟な条文であることが望ましいと考えています。

その点をさて置くとしても、「一般例外規定」であると銘打つからには、立法される条文は、できるだけ簡素なものにして、事案に応じて裁判官が柔軟に適用できる内容とすることが非常に大切だと思います。

さらに、文化庁が、提案している三類型以外の多くの利用行為については、別途、個別例外規定を立法することで対処する、としていることも、心配な点です。例えば、報告書では、障害者福祉、教育、研究、資料保存といった公益目的の利用や、パロディ、企業内での極めて少部数の複製、リバース・エンジニアリングなど、今回の一般例外規定の導入にあたって、対象としてほしいという要望があった多くの分野について、一般例外規定の対象には含めず、別途、個別例外規定を立法すべきであるとしています。けれども、これらの個別例外規定がいつ立法されるのかについては、なんの示唆もされていません。せめて、対応する必要性があると指摘されているこれらの分野について、いつ、どのように、今後の個別例外規定の立法を行うのか、その見通しが示されることを願っています。

## †原則と例外を転換してオープンな流通制度へ――クリエイティブ・コモンズ

以上が、例外規定という立法によって、著作権が直面している課題に対応しようという動きでした。

しかし、立法的な解決には、時間がかかる、声の小さい人の意見が通らないなど、それなりの限界があります。そこで、発想を転換し、立法に頼らずに、草の根で問題を解決しようという動きが米国から出てきました。具体的には、作品が人の目に触れてからユーザーが権利処理をする、という後追いの権利処理ではなく、作品を公表する段階で、権利者が自発的に、事前の許諾を与えておく仕組みを作ろう、というライセンス運動です。これが二〇〇二年十二月に米国でスタートしたクリエイティブ・コモンズ（以下「CC」と言います）です。

CCは、そのきっかけの一つとして、二〇年以上前から続いているフリー・ソフトウェア財団によるフリー・ソフトウェア運動にインスピレーションを得ています。ご存知の方も多いでしょうが、フリー・ソフトウェア運動は、ソフトウェア・プログラムのソースコードをGNU Public License（GPL）等のライセンスのもとで公開して、その改変や複製、販売等の利用を積極的に許しつつ、このライセンス条件をそこから派生したプログラムにも継承させることによって、ソフトウェアの利用やプログラミングの自由を最大限確保しようとする運動です。

CCの創始者であるハーヴァード・ロー・スクールのローレンス・レッシグ教授によれば、CCは、このフリー・ソフトウェアの動きにヒントを得て、その精神をソフトウェア以外の分野にも広げる形でスタートさせたということです。その後、CCライセンスは、世界中に多くの賛同者を得て広がる動きを見せ、二〇一〇年現在、五三の国、地域において、各国法準拠版ライセンスがリリースされ、九の国、地域でリリースの準備が行われています。ちなみに、日本法準拠ライセンスは、二〇〇四年三月に、米国に次ぐ二番目のライセンスとしてリリースされました。

私は、ちょうど、レッシグ教授が二〇〇一年にこの運動を始めたとき、彼のもとで勉強をしていて、その初期の段階からこの動きを見てきました。また、日本のプロジェクトが立ち上がった当初から参加していて、現在NPO法人化しているこの組織の理事を務めています。そういう意味では、多少、ひいき目もあるかもしれませんが、以下では、その良い点、弱点を含めて、できるだけ分かりやすく説明していきたいと思います。

もちろん、CCライセンスが日本でリリースされる以前から、日本にも「自由利用」を積極的または消極的に認める動きは存在していました。例えば、いわゆる「フリー素材」という、オープンな利用を許すものがあったり、無料のメールマガジンには、「このコンテンツは転送・転載自由です」などと注記されることがあったりしましたし、商業誌で発表された漫画等をアマチュア作家が二次創作し、コミック・マーケット等で販売することは、権利者から事実上黙認されてきたとも評価することができるでしょう。

しかしながら、このような従来の「自由利用」は、どこまでの利用が許諾されているのかが明確ではなく、あとから「そのような利用は許諾していない」と権利者から言われるリスクが残る、という問題点があります。このリスクが原因で、真面目な利用者は利用を躊躇してしまい、せっかくの利用に萎縮効果が生じることもありえますし、万全を期して権利者に意思の確認をするとなれば、その確認のための取引費用が発生し、せっかくの

「自由利用」の便利さが半減してしまいます。

CCライセンスは、利用条件を明確化することにより、これらの問題点を解消しようとする動きであると考えることができるのです。

## †CCライセンスの仕組み

では、具体的にCCライセンスの仕組みを見ていきましょう。

まず、著作物の権利者が、CCライセンスをつけて作品を公開することがスタートです。クリエイティブ・コモンズのホームページ（http://creativecommons.org/license/）に公開されている質問に答え、その結果表示されるHTMLをホームページに貼り付ければ完了です。その際、四種類のマークで示される条件を権利者が取捨選択します。この四種類のマークとは、次頁に紹介している、「表示」「非営利」「改変禁止」「継承」のマークです。この四種類の組み合わせによって、著作権法に定めるよりも自由な「CCライセンス」のルールに基づいて、自分の作品を公開することができる仕組みなのです。

これらの四つのマークのうち、権利者のクレジットを適切に表示してほしい、という条件は、すべてのライセンスで必須条件になっていますので、残りの三つのマークの組み合わせで、合計六種類の基本ライセンスが出来上がります。

権利者のクレジットを適切に表示
［表示］
非営利利用はOK
営利利用は別途許諾
［非営利］
作品を改変しない限り利用OK
［改変禁止］
二次的著作物は同じライセンスで公表
［継承］

CCライセンスの条件を示す四種類のマーク

また、権利放棄を示すアイコンとして、CCゼロ、というものもあります。

これらのアイコンを次頁でご紹介しましょう。ウェブ上で見かけたら、クリックしてみてください。そうすると、二二九頁にあるような、ライセンスの概要を説明したページ（コモンズ証）が表示されます。より詳しいライセンス条件は、このコモンズ証の一番下の部分からリンクされています。

さらに、最後の特徴として、正しくHTMLを埋め込んでライセンスを付けることができれば、メタデータが組み込まれることが挙げられます。簡単に言えば、コンピュータにもライセンス条件が理解できるような仕組みを備えている、ということです。そのため、検索エンジンでもCCライセンスの条件を指定したコンテンツ検索ができるようになるのです（CCライセンスの作品を検索できるページとして、http://search.creativecommons.org/）。

実際に、CCライセンスを使った多くのサービスでは、ラ

表示

表示—継承

表示—非営利

表示—改変禁止

表示—非営利—継承

表示—非営利—改変禁止

六種類の基本ライセンス

CC ゼロ（権利放棄）

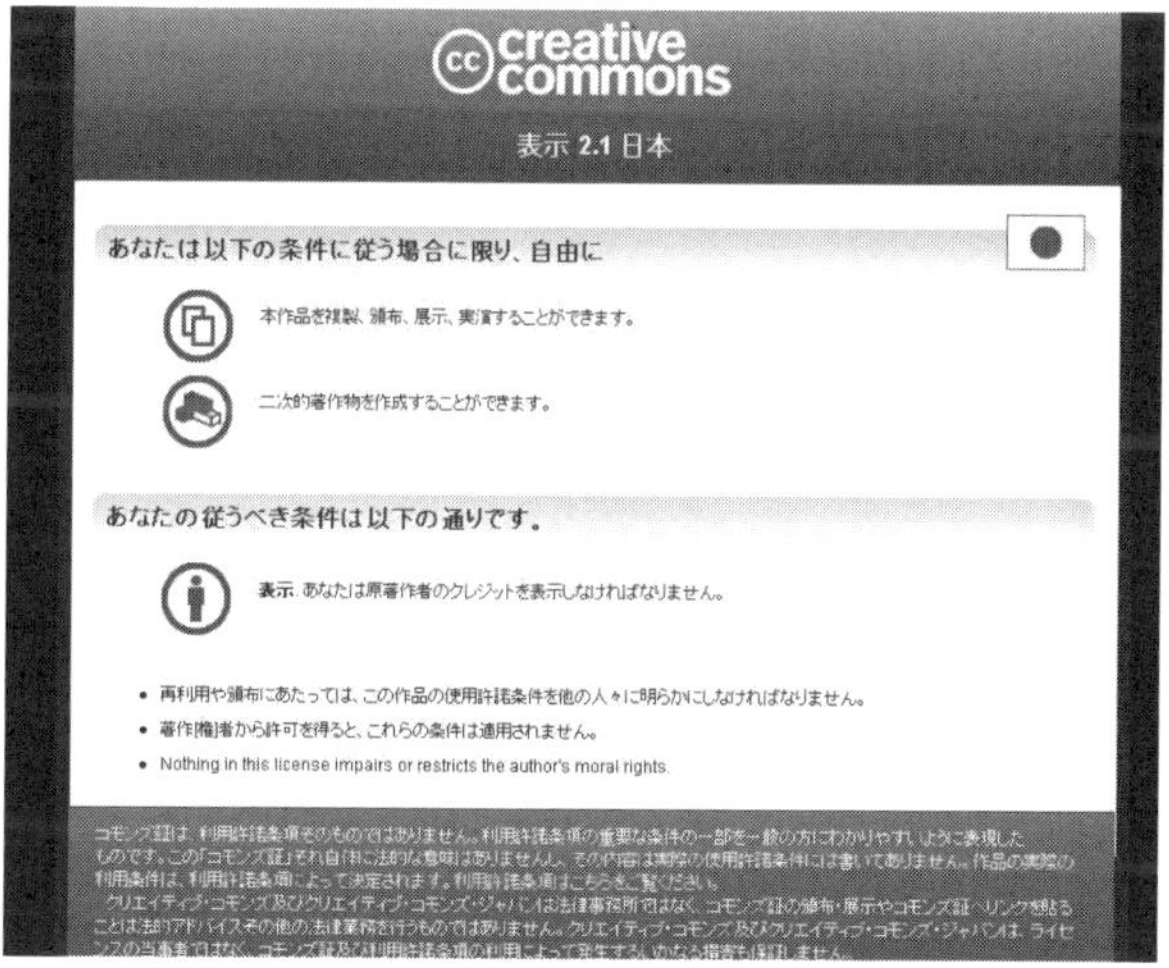

コモンズ証のページ

イセンス条件を指定して作品を検索できる機能を実装しています。これを図示すると、次頁のような三層構造になります。一番上の層にあるコモンズ証は、できるだけ世界共通で分かりやすく記述し、その次の層に存在しているライセンス条件は、その国の著作権法に準拠してリリースされています。これに対して、一番下にあるメタデータは、世界共通の仕様を決定して、できるだけ国境のないインターネットの世界に馴染むように配慮しています。

ある権利者がCCライセンスを使って、例えば、自分が撮影した写真に「表示」「非営利」「改変禁止」という三つのマークを付けて自分の作品を公開すれば、その写真が気に入った利用者は「作品に関するクレジットを表示して、営利目的で利用しない、改変しない」という条件を守る限り、誰でも自由に複製したり、ブログで紹介したりできます。「改変禁止」の条件がついていなければ、改変して自分の作品に使うことも可能だ、というわけです。

また、「非営利」という条件が付けられていても、営利目的の利用ができないわけではありません。むしろ、営利目的の利用も大歓迎です。ただ、その場合には、権利者に連絡して相応のライセンス料を支払ってほしいという意思表示だと考えることができます。実

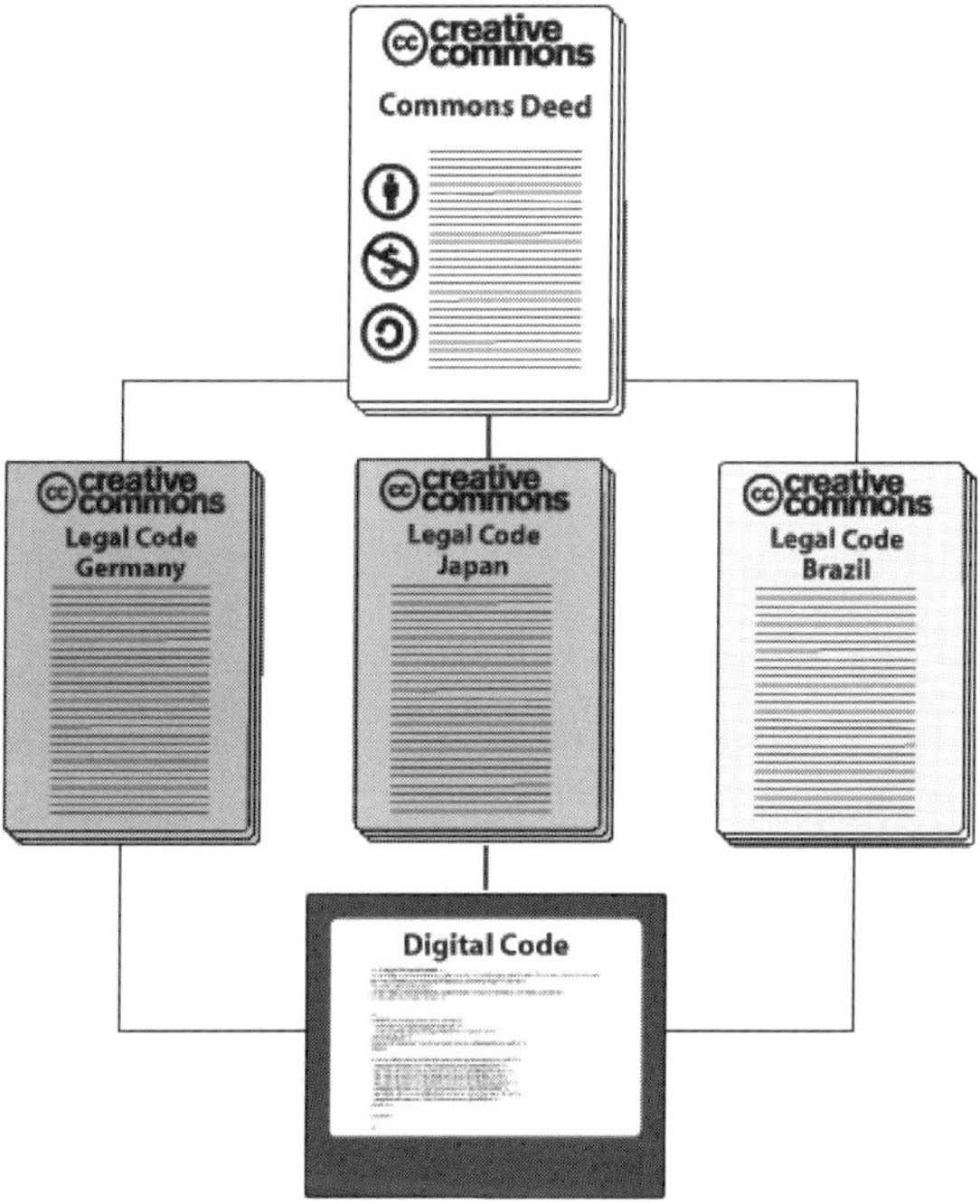


ライセンス条件からの作品の検索（三層構造）

際に、非営利のCCライセンスとCCライセンス外の商用ライセンスなど、一つの著作物に付けられている異なるライセンスの間をつなぐものとして、CCプラス（二三二頁）という仕組みも準備されています。

現在の著作権法におけるデフォルトのルールと比較したCCライセンスの特徴として、次の三つが挙げられます。

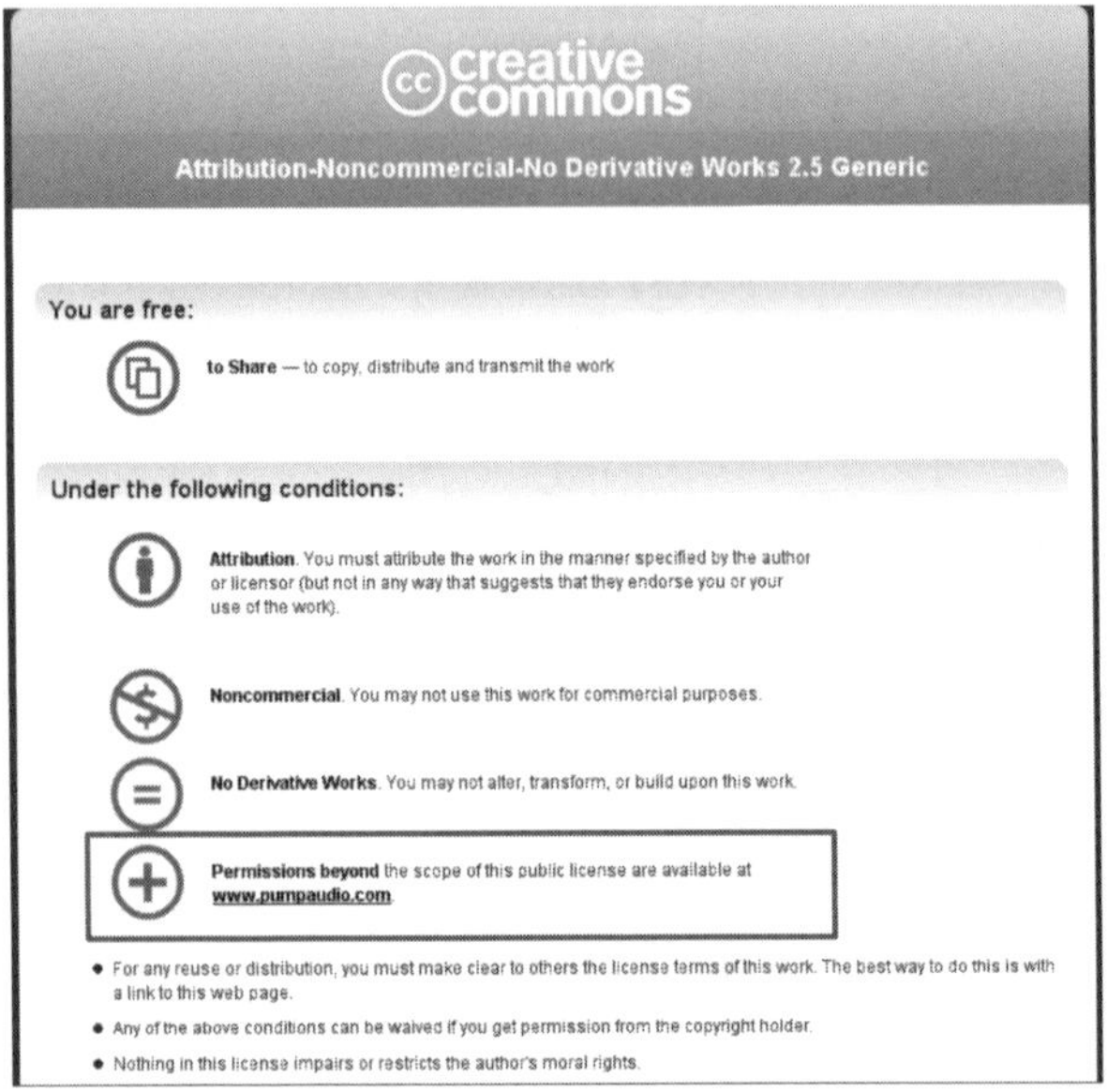


CCプラス

第一に、原則が禁止ではなく、自由であることです。四つの条件の組み合わせにより、自由にできる行為には多少の幅がありますが、その範囲内なら著作権を気にせず作品を利用できます。

第二に、権利者を探す必要がないということです。ＣＣライセンスは作品と一緒に流通する仕組みになっているため、その範囲内の利用なら、権利者と交渉する必要がありません。当然、権利者の連絡先も知る必要がないわけです。この二つの特徴を有することによって、著作物を利用するときに、著作権をクリアするためのコストは劇的に低くなります。とりわけ、権利者登録制度が未発達で、権利者を探す手段が極めて限定されている著作権法の分野では、権利者を探さなくてもすでに許諾されていることのメリットはとても大きいものです。第三は、先ほどご紹介したメタデータによって、コンピュータでも理解できるライセンスとなっていることです。

二〇〇二年十二月の米国での活動開始から一年以内に世界中で一〇〇万点ほどのCCライセンスが利用されたと報告されています。その後、利用されるライセンスの数は二字曲線的に増加し、二〇〇八年十二月末時点で、世界中で、少なく見積もっても一億五〇〇〇万のライセンスが利用されていると報告されています。そのうち、日本国籍のライセンスは、二〇〇九年三月時点で少なく見積もって二一〇万ライセンス程度と言われています。実際には、これらの数は、ウェブページに貼られたCCライセンスの数です。場合によっては、たくさんのコンテンツが一つのホームページにアップされていて、まとめてライセンスが付けられていることもあるので、実際にライセンスされている作品の数けもっと多いと言われています。

## †CCライセンスの実証的な側面

CCライセンスには、著作物を広く提供するにあたって権利者が重視する条件を探るという実証的な側面もあります。例えば、非営利の条件を付す人は、一定程度、著作物の利用における金銭的なリターンを重視しているということができますし、改変禁止の条件を付す人は、作品の同一性にこだわりのある人であると考えることができるでしょう。近年、多様化している著作権者のインセンティブがどこにあるのか、ということが、ライセンス条件を通じて見えてくる、という面があるのです。

その意味で、まず注目すべきは、著作権者その他の貢献者の氏名を表示することを求める「表示」の条件です。この条件は、二〇〇二年十二月に米国で最初にCCライセンスがリリースされたときには、他の条件と同じようにオプションでした。ところが、初期のライセンス利用者の九七—九八%が氏名等の「表示」を求めたため、二〇〇四年五月のバージョン2.0への改定時に、「表示」の条件はオプションではなく、必須項目となったのです。このことは、自分の作品を自由に使ってもらってもよい、と考える人たちの中にも、それが自分の作品だということを皆に認知してほしい、というインセンティブを持つ人がとても多いことを示しています。

| | 2005. 2 | 2006. 4 | 2006. 6 | 2009. 3 |
|---|---|---|---|---|
| 非営利 | 74% | 71% | 68% | 62% |
| 改変禁止 | 33% | 28% | 24% | 29% |
| 継承 | 49% | 48% | 45% | 47% |

http://creativecommons.org/weblog/entry/5936 に掲載された情報、および米国CCからの回答に基づく情報から作成。

**表1　世界中におけるライセンス条件の統計**

実際のライセンス利用状況を正確に把握することは難しいのですが、ヤフーなどの検索エンジンを用いて調査した結果に基づけば、各ライセンス条件を採用する人たちの推移は、世界レベルで見ると表1のような数字となっています。ここから、金銭的なインセンティブを重視する人が二〇〇五年の段階では、全体の七割以上存在していましたが、次第にその比率が下がり、現在では六割強まで減少していることが窺えます。また、改変禁止を求める人は全体の三割程度であり、その数字は微減傾向にあることが分かります。逆に、皆に共有されている作品を利用した二次的著作物を、同様に皆に共有することを求める継承条件を採用する人は、全体の五割弱存在することが分かります。

また、この数字は、地域ごとに異なっていることも分かっています。CCライセンスの六つのライセンスの利用状況を、同じくヤフー検索による数値に基づいて分析すると、二〇〇九年三月時点での日本におけるライセンスの利用分布と世界レベルでの利用分布は、表2の通りとなっていて、かなり異なってい

| | 日　本 | 世　界 |
|---|---|---|
| 1位 | 表示―改変禁止　32% | 表示―非営利―改変禁止　26% |
| 2位 | 表示―非営利―継承　21% | 表示―非営利―継承　26% |
| 3位 | 表示―非営利―改変禁止　21% | 表示―継承　21% |
| 4位 | 表示　12% | 表示　13% |
| 5位 | 表示―非営利　7% | 表示―非営利　10% |
| 6位 | 表示―継承　6% | 表示―改変禁止　3% |

表2　2009年3月時点でのライセンス分布（日本・世界）

ることが分かります。

この比較から、日本においては改変禁止の割合が合計五三％と、世界全体における割合（二九％）に比べて非常に高いことが分かります。ただし、この傾向は日本のみならず、アジア全体の傾向であると指摘されており、台湾・韓国では非営利や改変禁止のライセンスの比率が日本よりも多く、これに比べて、欧州や南アフリカではより開放的な条件のライセンスの利用率が高いことが知られています。

一方、海外では、同じCCライセンスの採用を義務付ける継承の条件を付ける人の割合が合計四七％であるのに対し、日本では二七％しか存在していません。また、非営利の割合も、海外が合計六二％であるのに対し、日本では合計四九％と少なめの数字となっています。

このような違いは、お国柄であったり、文化であったりする面もあれば、単に大きなサービスが既定の条件として採用しているライセンスの種類に影響を受けているだけの場合もあるので、ただちに、この結果から、文化の違いや創作者のインセンティブの違いを結論づけることはできません。また、このような実証的な研究は、信頼性のある統計手法の確立など課題も多く、一定期間の統計の推移を見なければ確定的な結論を導き出せるものでもありません。しかし、長期的には、面白い結果を残してくれるのではないかと期待しています。

## †オープン・ライセンスの意義

最後に、不特定多数の人に自由な利用の門戸を開くオープン・ライセンスの意義について、少しお話ししたいと思います。CCライセンスをはじめとするオープン・ライセンスの意義、というとき、最も分かりやすいのは、これによって利用のコストが下がり、著作物の流通を促進するという点でしょう。しかし、これに加えて、他に二つほどの意義があると考えています。

一つは、オープンにすることによって、世の中の役割分担と社会資源の利用の効率化が進むのではないか、ということです。著作権の世界には、様々な能力を有する人が存在しています。音楽を例にとってみても、作曲や作詞が得意な人、楽器の演奏に秀じる人、歌を歌うのが上手な人、編曲に才能がある人、と様々です。また、一人の人が有する時間は有限です。一人ですべてを担当することは難しくても、それぞれの才能を持ち合い、自分の得意な分野で利用可能な時間を使って貢献し合えば、効率的に良い作品が創作できるでしょう。一方で、デジタル化によって、リミックス技術は進化し、そのための機器も驚くほど安くなりました。そこで、インターネットを使えば、世界中に分散している才能を発掘し組み合わせることが、とても簡単にできるようになったのです。

今や、このようなコラボレーションを妨げる一番の障壁は、著作権法の規制かもしれません。そこで、この規制をオープン・ライセンスによって自由化することができれば、皆が、自分の得意な分野で貢献して、一つの作品を作ることができるのです。このような考え方は、かつて、異なる資源や国力を有する国の間での国際分業と貿易に関してデビッド・リカードが提唱した比較生産費説にいう、「比較優位」の考え方を著作権の世界にあてはめたもの、と考えることもできるでしょう。

この一つの実証例として、ウィキペディアが挙げられます。多くの人は、従来の百科事典の編集者、著者である高名な研究者と比較しても、絶対的に詳しいことや、比較的得意なことを一つや二つは必ず持っているものです。例えば、学者が知らない実務の世界をよく知っている人もいるでしょう。特定の芸能人がとても好きで、その人に関する記事なら全部目を通している、という人もいるかもしれません。また、誤字、脱字を見つけるのが得意な人もいます。

これら多数の人が、インターネットというネットワークと、Wikiというオープンに編集可能な道具を介して、自分が得意なことで貢献すれば、高名な数名の学者や専門家が執筆する商業的な百科事典にはない多様で豊富な内容を実現することができたとしても、何の不思議もないのです。もちろん、ウィキペディアは、内容に誤りが含まれている場合があること等について批判も出ていますが、そのことによってウィキペディアを不要という人はいないでしょう。

二つ目のオープンの意義は、生物学の世界にヒントを得ています。生物学では、「オープン・エンド」による多様性が進化の可能性を引き出す、という考え方が提唱、研究されています。例えば、日本認知科学会編集『認知科学辞典』(共立出版、二〇〇二年)では、「オープンエンドな進化」は「状態空間が本質的に開かれていて、質的に新しい形質が生み出されるようなダイナミクスのこと」であると定義されています。つまり、生物は時間軸に対してオープンで、その形状は固定されておらず、時間とともに変化し進化できる可能性を持っていて、これによって種が多様化していくことで生き残りを図ってきたのです。この「オープン・エンド」という考え方は、現在では経済学、人工知能その他様々な分野で応用されている考え方です。その本質は、おそらく、時間とともに起こる変化に柔軟に対応し、その時その時に最適の状態を作り出せる能力を備えることにあるでしょう。

もちろん、法制度も例外ではなく、著作権の規制もまた、生物と同様に、オープン・エンドな性質を有し、環境や時代に対してフレキシブルに対応する能力を持つことは、本来とても重要なことだと思います。この本でも詳しく見てきたとおり、著作物を取り巻く環境の変化とともに、著作物の創作過程も、利用過程も、著作権法が前提としてきたビジネス・モデルも、著作権者の意図にかかわらず変容を迫られています。その中で著作権の法制度が適正なものとして生き残っていくためには、その法制度もまた変化していくことが必要なのです。ところが、現在の著作権法制度は、ベルヌ条約等の規定がネックとなって、このオープン・エンドが実現されていません。

これに対して、民間の草の根運動であるCCライセンスは、既存ライセンスのバージョン・アップや新規ライセンスの提唱を通じて、その仕組みを常に見直すことができる点でオープン・エンドであり、実際に、いろいろなリクエストを受けて、何度かライセンスの見直しを行っています。また、ライセンスという形を通じて、既存の著作権法を一部の作品について、いわば上書きをして、著作権のルールそのものや、著作物の利用モデルを、オープン・エンドに変換する試みだと考えることもできるでしょう。これによって、CCライセンスが、その時代や利用環境に応じた様々な進化が著作権の世界に生み出されるためのツールになれば、と願っています。

## †二つのライセンス

次に、リミックスの世界でライセンスを付けるときに考えるべきことを少し見ていきましょう。

これまで、CCライセンスをご紹介してきましたが、CCライセンスは、数あるライセンスの中でも、一つの例にすぎません。実際には、作品を利用しやすくするためには、CCライセンスを使う必然性はなく、自分でライセンスを一から作成して利用する、という選択肢も考えられます。

そういう意味では、最近、ライセンスには二つのタイプ（役割）があるのではないかと考えています。独占モデルのための個別ライセンスと、共有モデルのインフラとしての標準ライセンスです。個別ライセンスについては、イメージしやすいでしょう。例えば映画を製作し、DVDの流通のために価格や期間などの条件を決めるために契約を締結するとします。映画によって条件が異なっても不思議ではありません。むしろ、異なる条件を交渉できることこそ、自由市場の良さといえるでしょう。

しかし、この「契約の個別性」という考え方は、共有モデルではしばしば悲劇を生むのです。ここで、共有モデルとは、ネット上でコンテンツを見せ合いコメントし合って楽しむクリエーターたち、学校を超えて教材を共有し、低コストで良い教材を作成したい先生たち、研究の発展のためにデータベースや論文を広く共有したい研究者たちなどの生態系を指します。第五章でもご説明したとおり、このモデルでは、著作物が人から人へシームレスに移動し、広く共有されることで、教育、研究、創作といった分野で最大限の価値を得ることをめざしています。ライセンスはこのシームレスな移動を法律的に実現するために用いられるのですから、技術と同様に、標準化されることが非常に重要なのです。

せっかく同じ志を持つ人が、同じ分野でコンテンツを提供していて、技術的にはこれらのコンテンツを組み合わせてリミックスすることが可能であったとしても、ライセンスという法律面で矛盾があるために、これらのコンテンツを組み合わせることができなくなってしまうのだとしたら、それはとても残念なことです。そこで、著作物を共有して新しい価値を生み出したいと願う権利者は、ライセンスをカスタマイズする前に、本当にそのカスタマイズは必要なのか、ライセンスを標準化する（または互換性を持たせる）ほうがよいのではないか、と問う習慣をつけることがとても重要になります。ライセンスの標準化とは何か、互換性を持たせるとはどのようなことか、少し見てみましょう。

## †ライセンスの標準化と互換性

ライセンスの標準化とは、単純にいえば、たくさんのライセンスの中から、その分野の著作物の共有において使われるライセンスを一つ（または幾つかの少数の候補）に絞って、その中のどれかを皆が使う、ということです。もちろん、ライセンスをどれか一つに決めることができれば、それだけ、ライセンスの内容を研究したり異なるライセンスの組み合わせで悩んだりするコストは小さくなります。けれども、その場合に、どのライセンスに決めるかは、なかなか決着がつかない難しい問題かもしれません。

しかし、たとえ、一つだけに絞ることができなかったとしても、その数をあまり増やさないようにすることや、特定の分野で多く使われているライセンスがある場合には自分のライセンスもそれに合わせることなどは、ある程度可能ではないかと思います。

このような、ライセンスの標準化というアプローチの他に、異なる種類のライセンスが生み出す問題を解決するもう一つの考え方として、ライセンスの互換性の確立というアプローチがあります。これは、ライセンスの種類を限定するのではなく、ライセンスの種類は多様なままで、「細部が異なるが基本は似ている」ライセンスどうしの付け替えを可能にする、という考え方です。例えば、ライセンスAとBがあり、細部を見ると矛盾する内容の規定があるが、大筋では同じ内容であるとしましょう。AとBに互換性がなければ、細部といえども条件が矛盾するのですから、この二つのライセンスのもとで公開されたコンテンツを組み合わせて新しいコンテンツを作ることはできません。しかし、大筋を見れば同じ考え方によってライセンスされているコンテンツが、細部の違いのために組み合わせられないのはとても残念なことです。

そこで、AとBのライセンス発行主体が、この二つのライセンスの間での付け替えを許す旨をそれぞれ自分のライセンスに盛り込むことで、AとBの組み合わせを可能にするのです。資料を組み合わせたい人は、その後、AとBのいずれか好きなほうのライセンスを選んで付ければよいわけです。このアプローチでは、多様なライセンスを検討して理解しなければならないというコストは依然として残りますが、そのかわりに、多様なライセンス間での競争が導入されて、よりよいライセンスに次第に収斂していくという可能性を持っています。

### †ライセンスの切り替え——ウィキペディアの教訓

もちろん、そうはいっても、自分の希望する条件を満たすライセンスでない限り、作品を公開したくないという人もいるでしょう。

そこで、共有モデルでも、カスタマイズしたライセンスを採用して、第一次的な作品の公開を促す、という方針も考えられます。オープンなコンテンツが多いことの良さ、便利さ、素晴らしさを実感する、という意味では、まずはそこに焦点を合わせるという方針もあるでしょう。そして、ある程度公開が進んだ段階で、もしも、作品のリミックスや組み合わせに支障が生じてきたら、その段階で、ライセンスの統一を図る、というアプローチを取るのです。

けれども、このようにライセンスを付け替えることは、思った以上に大変だということを、ウィキペディアの例でご紹介することにしましょう。

ウィキペディアは二〇〇九年にライセンスの切り替えをしました。もともとGFDLというライセンスを使っていたのですが、新たに、クリエイティブ・コモンズのライセンスを採用しようとしたのです。

なぜ、CCライセンスを採用しようとしたかというのにはいろいろ理由があるのですが、その理由の一つには、もともと使っていたGFDLというライセンスがソフトウェアのマニュアルなどを作成することを念頭において作られたライセンスで、ウィキペディアのようなプロジェクトには不便な条項がいろいろ入っていた、ということもあります。けれども、先ほど述べたようなライセンスの組み合わせの問題もあったのです。

つまり、ウィキペディアの執筆者たちは、記事を書いていくうちに、関連する写真や図版などを入れたいと思うようになってきたのです。ところが、GFDLでライセンスされている写真というのはほとんど存在しません。写真や図版には、CCライセンスがよく使われているのです。そこで、CCライセンスの写真をウィキペディアに貼り付けるとどうなるでしょう？　文章はGFDLライセンス、写真はCCライセンスということになってしまい、例えば、誰かが記事と写真を一緒にコピーして使おうとすると、条件が違うために、いろいろ不都合な問題が発生してしまうのです。

GFDLライセンスとCCライセンスのうち表示―継承（BY-SA）ライセンスは、両方とも非常に似たライセンスです。両方とも、複製もできるし、改変（編集や翻訳）などもできる。そのかわり、改変した後の作品には同じライセンスを付けなければならないし、貢献した著作者の名前をすべて表示しなければならない、という基本的性格を持っています。そこで、二〇〇五年頃、ウィキペディアの本文にCCライセンスが使えるようにしよう、という動きが持ち上がりました。そして、GFDLライセンスを提供しているフリー・ソフトウェア財団とCCライセンスを提供しているクリエイティブ・コモンズが、その方針について協議を開始したのです。

ところが、具体的に検討を始めると、いろいろ問題が発生してきました。まず、GFD

Lライセンスをすっかりやめてしまって、全部CCライセンスに切り替えよう、という案がありましたが、これは結局採用されませんでした。なぜかというと、現在付いているライセンスをすべてやめて、新しいライセンスに付け替えるには、すべての権利者からその付け替えの同意を取らなければならないからです。二〇〇一年から続いてきたウィキペディアのすべての執筆者の数は膨大で、全員から同意をとるのは到底不可能な作業です。

そこで、ライセンスのバージョンアップによりライセンスの行き来を可能にする（互換性を持たせる）という、方法で解決することになりました。GFDLライセンスもCCライセンスも、バージョンアップ後のライセンスに付け替えてよい、ということは、最初から認められていたのです。この規定を上手に使って、CCライセンスではバージョン3.0へ、GFDLライセンスはバージョン1.3へバージョンアップするときに、お互いのライセンスに付け替えることもできる、としたのです。しかし、それが実現するのには、いろいろな方針の違いもあったりして、結局、四年近い年月がかかってしまいました。

この例から見ても分かるとおり、ライセンスを付け替える、切り替えるといっても、そんなに簡単なことではないのです。そういう意味で、最初のライセンスを選ぶ際にはよく考えて選ぶということが重要だということです。

デジタル技術により、著作物の使われ方には新たな可能性が生まれ、社会の情報流通をより豊かにすることが物理的に可能になりました。法律の重要なツールであるライセンスも、時代に合わせて目的やタイプを見極め、上手に使い分けることが求められています。是非、使い分けの上手な、賢い権利者になりましょう。

終章

# これからの著作権制度で考えること

ここまで、幾つかのテーマに分けて、著作権の始まりから現代の問題までを、いろいろな角度から見てきました。最後の章では、著作権制度について私が考えていること、皆さんにご一緒に考えてほしいことを、幾つか取り上げてみたいと思います。

## †新しい技術の恩恵をどう考えるか

第四章では、従来、著作権制度に内蔵されていた、作品の利用者側の表現の自由の領域が、新しいDRM技術の登場や法律改正によって、少しずつ侵食されてきていて、権利者と利用者のバランスが崩れてきている、というお話をしました。このような変化をよく認識して、それを許してよいのかを考えることは、とても大切なことです。

けれども、未来の著作権制度を考える上では、新しい技術によって社会にもたらされる新しい可能性に対してどう向き合うか、という、もう一つ重要な問いがあると思います。

デジタル技術の普及によって、過去にはできなかったことができるようになってきています。例えば紙の本では、文字を自動で読み上げることはできませんでしたが、キンドルなどの電子書籍ならば、コンピュータに読み上げてもらえます。そうすれば、目が不自由な人でも、あるいは暗いところでも、本が読めるようになります。電子化された本なら検索も簡単にできます。テキストをコピーしてグーグル翻訳に入れれば、きれいな日本語ではなくても、おおまかな意味くらいは分かる。これらの新しい技術を使うことで、人間の活動の幅が広がり、知識の吸収方法が増えて、大げさにいえば、人間の可能性が広がるかもしれません。このように技術の進化によってもたらされる可能性を、いったいどこまで社会に還元し、保障すべきなのか。これは極めて政策的な判断であり、今の著作権法政策にとって、とても大事な問いであると思います。

第四章でお話ししたように、「これまで存在していた権利者と利用者の間のバランスを守ることで、今まで社会が上手く機能してきたのだから、これまでと同じ社会の発展を保障するためには、最低限、過去と同じ水準を維持しなければならない」という議論は、比較的分かりやすい話です。そして、それなりの説得力もあると思います。

それに対して、新しい技術によって生み出される新しい可能性を、どれだけ積極的に社会に取り入れ、それを必要としている人たちに保障していくべきなのか、という議論は、過去と同じ水準を維持しなければならない、という議論では解決できないだけに、その都度、新たな価値判断が必要になります。そして、この問いに対する回答は、実は、立場や価値観によって様々になりうるのです。

新しい技術によって人間や社会にもたらされる便利さや可能性を、できるだけ社会で広く活用できるようにすることは、社会の進歩として当然だ、というローレンス・レッシグ教授のような考え方の人もいます。けれども、その一方で、新しい技術がもたらす危険性や、新しい利用が自分たちの知らないところで広がっていくことへの不安にむしろ目を向け、このような新しい利用方法は、できるだけ自分たちがコントロールしたいと考える人たちも、商業権利者の中にはたくさんいるでしょう。

この考え方の違いは、新しいサービスがフェア・ユースその他の例外規定に該当して許されるのか、新しいサービスを提供している人が間接侵害に該当して違法とされるべきか、という判断や新しいサービスにコンテンツをライセンスするのか、といった判断に、実質的に影響を及ぼしてくるのです。

例えば、PDFやテキストでいくらでも文章がダウンロードでき、自動翻訳の精度が上がって、母語以外のコンテンツも苦労せずに読めるようになれば、世界は広がるし、人々の他文化に対する理解も広がる、と考えることもできるでしょう。実際、アナログの世界で、本を個人的にコピーし、辞書を引き引き文章を読むのは、完全に自由にできる行為でした。それを、デジタル技術は革命的に簡単にした、と見ることができるのです。

このように考えれば、かつて、アナログで合法だったことをデジタルに置き換えただけだから、そのような行為はできるだけ合法になるべきだ、という価値判断に傾きます。これをさらに推し進めると、翻訳ソフトウェアを自分では開発できない大多数のユーザーのためにサービス業者がこれを開発してウェブ上で提供することも、社会を進化させるサービスだとして、許容されてもいいのではないか、という考え方になっていくでしょう。

けれども、このようなサービスが自分の知らないところで勝手に始められることを警戒する権利者は、ダウンロードしたり翻訳したりすることは、著作権の許諾が必要な行為だから違法だと主張し、必要があれば訴訟をしてでも食い止めようとするかもしれませんし、サービスがしたいのなら利用料を払ってください、という話になるかもしれません。

今の著作権法をあてはめるならば合法だ、違法だ、という議論は、今でもあちらこちらで毎日行われています。けれども、未来の著作権のあり方を考える、という局面では、今の法律をあてはめるとこうなる、という議論だけではなく、このように、人間の可能性を広げるサービスを、将来、日本の社会にどの程度普及させ発展させたいか、という政策的なことも考えなければならないと思うのです。

例えば、営利目的で展開する場合はともかく、今まで個人が自由にできたことの延長線上で、純粋に福祉目的や研究目的で新しい技術を作ったり公開したりすることについて、その間に一度や二度コピーのプロセスが入ったり、そのためにＰＤＦの複製やアクセスなどの制限を回避するプロセスがあったとしても、積極的に許容してもいいのではないか、という判断もありうるかもしれません。そうして新しい技術がどんどん開発され、人気が出ていけば、そこから将来、新しい収入源が生まれることも大いにありうるのです。

## †新しいサービスに対するアプローチ

法律という局面を離れて、コンテンツのあり方に影響を与えるもう一つの重要な要素であるビジネスの局面に目を向けても、技術の進化や、ネットに対する人々の反応の変化に応じて、新しく登場してくるビジネス・モデルにどう向き合うか、という問題があります。これも、先ほどの問題と、根っこではつながっている問題かもしれません。

例えば、ブログに書評を書いている人が、本の内容を何行か引用（コピー）しても、普通はそのことで訴えられたりはしません。逆に、書評を読んだ人が書評の対象となった本を買うこともしばしばあり、書評を書いた人も、アフィリエイト広告で収入を得ることができます。もしかしたら、厳密に著作権法を適用すれば違法かもしれないこの行為が、実際には訴えられることもなく認められているのは、法律を杓子定規にあてはめた結論よりも、ビジネス的な損得を優先させているためだ、と評価することもできるでしょう。

実際に、デジタル・ネットワーク技術を使ったビジネス・モデルは、日々進化していますす。日本では、二〇一〇年は、電子書籍元年になる、と言われたりしていますが、電子書籍で米国で大きなシェアを誇るアマゾンのキンドルでは、人々の電子書籍を読む、という行為から得られる情報を上手に集約して、いわば集合知を使って本を要約するようなサービスを展開し始めました。具体的には、アマゾンのキンドルには、アンダーライン機能が実装されています。購入した本の中で、自分が気に入った文章や段落に、アンダーラインを引くことができるのです。もちろん、自分がこのアンダーラインだけを読み返したり、検索したりすることもできます。ところが、これに加えて、二〇一〇年五月にリリースされたキンドル・ヴァージョン2.5では、ユーザーの希望で、アマゾンのサーバに、アンダーライン部分を送信してバックアップを取ることができるようになりました。

それだけではなく、このアンダーライン部分をアマゾンが集積し、ある本についてアンダーラインが一定以上の数が集まると、「人気ハイライト（popular highlights）」として、新たにその本を買った別のユーザーの本に表示させる機能も追加されています。また、アンダーライン機能を使ってハイライトした部分を自分のフェイスブックやツイッターへ短いコメントとともに投稿して、広く共有できる機能も実装されました。フェイスブックやツイッターの投稿を見た人が、投稿に添えられたリンクをクリックすると、投稿者のアマゾンのマイページが表示され、ハイライト部分と本の情報が閲覧できるようになっています。もちろん、その本を気に入った人は、そのままアマゾンから本が買える仕組みです。

こうしたソーシャル・リーディング・サービスでは、いろんな人がハイライトした箇所が、ウェブにアーカイブされていきます。他の人は、本を全部読まなくても、ハイライトされた箇所を幾つか読んだだけで、本のエッセンスが分かったような気になるかもしれません。そのために、本を買わずに、ハイライト箇所だけを読んで終わりにしてしまう人が出る一方で、その本がますます気になって購入するという人も出てくるでしょう。

こうしたサービスをどう考えるかは、出版ビジネスの中でその人が置かれた立場や、その人の価値判断によって、まったく違うと思います。例えば、論文を書いた科学者であれば、大学や企業から給料をもらい、その成果として論文を書いているわけですから、論文そのものから利益をたくさんあげる必要には迫られていません。多くの場合、タダでもいいので多くの人に読まれ、引用されたほうがいいと考えるでしょう。むしろ、要約や翻訳を作ってくれる人がいることは歓迎すべきことだと思うかもしれません。

しかし、筆一本で生計を立てている作家の中には、このようなサービスによって自分の本の需要が広がると判断して、好意的に感じる人もいれば、本の需要が減少してしまうと考えて憤慨する人もいるでしょう。また、個人がブログで書く書評については構わないと思っていても、アマゾンが商業的に行っているサービスで、結局はアマゾンの売り上げに貢献すると考えると、何らかの対価が払われて当然だと感じる人もいるかもしれません。

これらは、法律論、ビジネスに対する考え方、著作物を創作するインセンティブ、新しいサービスの可能性を前向きに感じるかどうか、など、たくさんの要素が絡み合っている複雑なパズルです。一時期、権利者の中には、このような新しいサービスに対して、たくさんの要素から成り立つパズルだと捉えるのではなく、ただ、著作権法をあてはめたら違法になる、ということだけをとりわけ重視する傾向が見られたこともありました。

しかし、近年では、ネット上のコンテンツ流通に対する考え方が次第に成熟してきて、もっと総合的に考えようとする動きが広がってきているように感じます。まさに、著作権法はあくまで一つのツールでしかなく、たくさんの他の要素とのバランスの上で判断されるべきものなのです。

### ✝権利者のインセンティブとコンテンツの流通について考える

著作権法の設計において、または、新しいビジネスの可能性に向き合うときに、どこまでを権利者のコントロールに委ね、どこからは誰もが自由にできるようにするか、ということを考えるにあたって常に根底にある問題は、コンテンツを作って発表するインセンティブをどこに求めるか、ということです。

今までは、著作者が作品を創作するインセンティブを議論をするときに、常に中心的に議論されてきたのは、金銭的なインセンティブでした。しかしながら、近年のフリー・ソフトウェアやオープンソース・ソフトウェア、ウィキペディア、CCライセンスの作品等を見ると、営利利用まで含めて自由に他人に利用させることを許諾しながら（その意味で金銭的なリターンというインセンティブは低いことは明らかです）、なお著作物を創作し続ける人たちが出現し、確実にその存在感を大きくしています。これらの人たちの創作活動は、金銭的な動機のみでは説明できません。そこで、その動きをより深く説明、研究しようとする動きが世界的に広がっています。

例えば、著作物で「お金」を儲けるということに興味のない人にとっては、コンテンツを発表してダウンロード数が一〇万になった、一〇〇万になったというのを見て喜ぶことが、最大のインセンティブになるかもしれません。また、他人が自分のコンテンツを論評したり、そこから派生作品がどんどん出てくるのが楽しいという人にとっては、そのこと自体がインセンティブになるでしょうし、その場合にはPDFのように改変を制限するファイル形式で発表する必要もないかもしれない。これらのインセンティブが強い権利者にとっては、コンテンツの流通を制限することはあまり重要なことではなく、むしろ積極的に作品をインターネットで公開しようとするでしょう。

このような動きについて、例えばレッシグ教授は、『REMIX』（翔泳社）という本の中で、「共有経済」(Sharing Economy) という言葉を使って説明しています。レッシグ教授は「共有経済」を金銭的なインセンティブが逆に有害となるような経済(友情・愛情のやり取りを中心とする経済)と定義し、金銭的なインセンティブに基づかず、創作が好きだから、褒められたいから、作品を通じたコミュニケーションを楽しみたいから、といった非金銭的な理由で作品を作り公開する人たちがたくさんいることを指摘しています。

また、ウィキペディアの創始者であるジミー・ウェールズ氏は、野球が好きだから野球をする人がいるように、文章を書いたり知識の共有に貢献したりするのが好きだから、という理由でウィキペディアに書き込む人がいるのは、何ら不思議なことではないと説明しています。レッシグ教授は、これからは、著作物は、商業的な経済と共有経済とのハイブリッドの中で、必要に応じて金銭的な対価を稼ぎ、人々のコミュニケーションの媒体としても機能するようになっていくだろう、と予言しています。

従来から、このように、金銭的な動機ではなく、純粋に創作を楽しむ人たちは存在していたでしょう。ただ、このようなアマチュアの人たちが、自分の作品を広く流通させる手段がなかったために、世の中で大きな存在感を示すことが少なかっただけなのかもしれません。そういう意味で、ネットの発展とともに、このような創作が存在感を増してきたのは、驚くべきことではないでしょう。しかし、このような人が増えてくると、作品を創ってお金を稼いでいこうという人にとっては、すごく複雑な話になってきます。無料でどんどん作品を公開していく人たちに対して、どうやって有料のコンテンツを販売するというビジネスを成り立たせるのか、ということが課題として突きつけられるからです。

こうした中で、最近では、作品からお金を儲ける方法も多様化してきています。二十世紀までは、著作物からお金を儲ける典型的な方法は、著作物をパッケージ化して、一ついくらで売る、というものでした。そのため、デジタル時代になっても、しばらくの間は、媒体から離れて一人歩きし始めたデジタル・コンテンツを、なんとかパッケージ化して売ろう、という考え方が主流でした。DRM技術を使って、音楽や本、映画などをオンラインで販売するのは、まさにパッケージ・ビジネスの延長線上にあるアプローチです。

ところが、最近では、このようなアプローチに加えて、別の方法でお金を儲ける方法を模索する人が増えてきました。例えば、プロのミュージシャンの中には、自分が創作したアルバムを、CCライセンスで自由にダウンロードできるようにして、無料で配る人が出てきました。彼らは、音楽を、パッケージ化して一ついくらで売るもの、とは捉えていないのです。そうではなくて、音楽は、自分たちとファンとをつなぐ架け橋的な存在だ、と捉えて、できるだけ安く（つまり無料で）、できるだけ広く配ることで、ファンを増やそうとしているのです。その上で、お金は、音楽の対価という形ではなく、ファンクラブの会員費、コンサート・チケット、サイン入りのプレミアム・グッズの売り上げ、または寄付、という形で、ファンから回収しようとしているのです。

このように考えれば、作品の音源を無料でどんどん配ることは、警戒すべきことではなく、むしろ、積極的に進めるべきことに変化してしまうわけです。ファンから見ても、音楽にお金を払っているのではないのです。自分が大好きなアーティストとのつながりに、アーティストと時間や場所を共有するという体験に、または、アーティストを応援したい気持ちとして、お金を払っているのです。では、ファンとして、同じ三〇〇〇円を払ったときに、どちらのほうが満足度が高いでしょうか？　これは、とても面白い問題です。

また、フリー・ソフトウェアやオープンソース・ソフトウェアの活動に参加するプログラマーのインセンティブも、極めて複雑です。もちろん、純粋に他の人と協力してプログラミングをするのが楽しい、という人もいるでしょう。けれども、もっと複雑な動機を持っている人もたくさんいるのです。例えば、自信のあるソースコードを公開して、できるプログラマーだという評判をあげ、転職や次の仕事のチャンスにつなげたいと考える人もいるでしょう。または、他の人と一緒にプログラミングをすることで、他の人のスキルを習得してレベルアップしたい、と考える人もいるでしょう。そこには、金銭的なインセンティブと、非金銭的なインセンティブが混在しているといえるのです。

ネットでの情報流通が進むにつれて、このように、コンテンツ・ビジネスのあり方も、どんどん多様化していくでしょう。これからの権利者は、自分の作品の活用方法を考えるときに、著作権がある、というだけで、自動的に、その作品をパッケージ化して売らなければならない、と考えたり、権利を一回許諾するごとにいくら、と対価を取るのが当たり前である、と考えたりするだけでは、面白いチャンスを見逃してしまうかもしれません。より多角的な視点が求められるようになってきているのです。

## †囲い込みと露出のバランス

そう考えると、コンテンツの囲い込みと露出のバランスは、とても面白い問題です。

著作権などの知的財産権は、基本的には、権利者に、そのコンテンツを囲い込む権利を与えるものです。したがって、自分の作品を守る、と考えると、反射的に、囲い込むことが当たり前のように感じてしまう人が比較的多かったのかもしれません。

しかし、コンテンツには、流通し露出することがすなわち宣伝になる、という側面があります。この傾向は、インターネットによって加速しています。悲しいことに、どんなにいいコンテンツでも、知られないことには売れないのです。特に、今の人たちの知や情報へのアクセス行動を見ると、グーグルやヤフーの検索結果の二ページ以降を見る人はとても少ないのが実情です。これらの人たちにとっては、一ページ目に上がってくる情報以外は、世の中に存在しないとの同じになってしまうわけです。

これはビジネスの世界でも顕著です。例えば、ハリウッドが提案する配給契約書には、最低限、いくら以上の金額を宣伝のために使わなければならない、という義務条項が入っています。ハリウッドは、宣伝費をかけて露出を増やさないと人が映画を観に来ないことを知り尽くしているわけです。これは音楽でも同じで、テレビやラジオでオンエアしたり、ネットでキャンペーンを行って人を集めています。

今は同じようなことが、本でも起きています。例えばクリス・アンダーソンの『フリー』（NHK出版、二〇〇九年）のコンテンツを、期間限定で全部見せたのもその一例です。こうした手法はたくみなPRにすぎないという見方もありますが、コンテンツは「知られてなんぼ、見られてなんぼ」の世界である以上、露出と囲い込みをどう上手く使い分けていくかが重要です。その中の一つのモデルとして「期間限定で全部タダで見せる」という選択肢があるわけです。

つまり、むやみに囲い込むことが必ずしも自分にとってプラスとは限らない。むしろ、積極的に露出させたほうがいい場合もあるのです。

しかし、露出させることも、やりすぎると問題な場合もあります。例えば音楽の場合、フルサイズで何度聴いても、また聴きたくなるという特徴があると言われています。したがって、全曲を試聴できたとしても、そのことで視聴行動が減るかというと、必ずしもそうとはいえず、むしろ増えるかもしれないわけです。この特性を活かして、上手にお金を儲けるチャンスにつなげることができるのなら、音楽を積極的に露出させることは、自分にとってプラスにこそなれ、マイナスにはならないかもしれません。

しかし映画の場合、全部を観てしまうと、もう一度観たくなる人は少ないと言われています。したがって、予告編はネット上でも公開しますが、本編は公開しないのが普通です。全部見せてしまったらダメだ、という前提でプロモーションがなされているわけです。このように、コンテンツに対する人の消費傾向の違いによって、どこまで露出させるかという戦略は異なってくるのです。

では、電子書籍化が進んでいる本はどちらでしょうか。一部の本は、映画に似ているかもしれません。例えば推理小説のような物語性のあるコンテンツの場合、一度読んで最後までの展開が分かってしまったら、もう読まないという人もいるでしょう。こういう人に対しては、今アマゾンがキンドルでやっているように、最初の数章までは読めるけれど、残りは読めないようにするのがいいのかもしれません。逆に教科書や解説書のように何度も繰り返し読みたい本は、音楽がそうであるように、コンテンツがすべてネットに載っていても買われるかもしれません。または、本が全部読めることによってその筆者のファンとなり、新しい本をさらに買うことにつながるかもしれません。

こうして考えてみると、自分のコンテンツにとって最適な露出と囲い込みのバランスは、作品のタイプや自分のインセンティブによっても、少しずつ違ってくるのかもしれません。この問題は、ビジネスモデルも絡んで、今後ますます研究が進むことでしょう。

## †ライセンスの社会的意義

こうして、著作者のインセンティブやビジネス・モデルが多様化してくると、著作権法が定めるルール（つまり、どんな利用も原則は禁止で、権利者の許諾を得なければ違法だ、というルール）は、少し柔軟性に欠けると言わざるを得ません。

そこで、権利者が望む最適な露出と囲い込みのバランスを実現するために、著作権制度の柔軟性が必要になります。今のところ、この柔軟性を実現するのがライセンスなのです。

私自身は、NPO法人クリエイティブ・コモンズ・ジャパンの理事としてCCライセンスの普及に努めていますが、決してCCライセンスが唯一の解決策だとも、すべての場合にふさわしい利用条件を提示しているとも思っていません。CCのような自由利用が無縁な世界もあっていいでしょうし、例えば、ハリウッド映画などはまさにそういう世界かもしれません。クリス・アンダーソンが『フリー』で述べているとおり、今は、ネット上では営利と非営利の活動の垣根がとても低くなり、「フリー」が利益を生み出す現象も見られるようになっています。前章でご紹介したように、CCライセンスでも、例えば、非営利目的での利用のみを自由にする（営利利用は別途許諾を必要とする）アイコンを使って、非営利な利用を広げつつ、そこで生み出されたニーズを上手に営利活動の世界に戻していく、「CCプラス」という仕組みを提供しています。

多様化する著作権の生態系の中で、最適なライセンスの形態は、それぞれの生態系に合わせてグラデーションのように分岐していくのかもしれません。商業的な世界は、これからも、囲い込みを前提とした著作権法のルールを基本に据えていくとしても、それは著作物の生態系の中ではごく一部でしかないのです。そのルールが相応しい部分を守るために、その外に広がっている、より多様な生態系に対しても、一律に厳しいルールを適用し、その結果、著作権法が、多様なコンテンツの生態系に悪影響を及ぼすことは避けなければならないと思います。今の時点で、CCのようなライセンスの役割は、そのような悪影響を減らし、多様なモデルの実現を可能にすることにあると思います。

別の見方をすれば、CCのようなライセンスの意義は、合法に著作物を自由に共有するという選択肢を世の中に生み出したことによって、多様な著作物の流通形態や、ビジネス・モデルを、著作権法違反のリスクなく試行錯誤できるようにしたことにある、ともいえるかもしれません。著作物をめぐる技術環境が劇的に変化し、創作者も利用者も多様化する中で、著作権制度の発展のために最も重要なことは、トライ・アンド・エラーだと思います。これを合法にできるようにすることが、次の新しいモデルやバランスを生み出していくのだと思います。そのためのトライは、できるだけ自由にできたほうがよいのです。

その意味で、今はCCのようなライセンスの考え方を分かってもらうことが一番重要であり、それを基にいろんなことを試し、自分たちの世界にとって、または社会にとって、より適切なライセンス条件や利用条件を検討する動きが広がっていってほしいと思います。CCライセンスも、仕組みや考え方はできるだけシンプルなものをめざしていますが、実際のライセンスの条文を読むと、けっこう細かくて難しい面もあります。これをもっと改善しようという人が出てくることは、個人的には大歓迎です。ただし、ライセンスは、違う条件のものが乱立しても、お互いの互換性がなくなって混乱します。その意味で、みんながてきるだけ広く使える、シンプルで洗練されたライセンスをめざし、ライセンスの間の互換性についても研究を進めることがとても重要だと思います。

さらに、CCライセンスのような自由な利用を許す動きが、人々の創造性をより積極的に引き出す効果を持つことも期待したいと思います。今、日本でも、小学生の頃から著作権教育に取り組んでいると聞いていますが、その内容は、ともすると、著作権法のルールをそのまま教えるだけのもの、つまり、他人の作品の利用は、原則「禁止」だということを教えるだけになりがちです。しかし、創作の面白さを覚える前に、禁止のルールばかりを教えるのでは、せっかくの創作にいつも後ろめたい罪悪感がつきまとってしまったり、または創作に対して萎縮してしまったりしないか、心配になってしまいます。

人間は何事も、「学ぶ」ことは「真似ぶ」ことから始まるのであって、ニュートンがかつて引用したとおり、「われわれは巨人の肩に乗った小人のようなものだ。当の巨人よりも遠くを見わたせるのは、われわれの目がいいからでも、体が大きいからでもない。大きな体の上に乗っているから」なのです。その「真似ぶ」場は、日本の著作権法の例外規定で認められているような、教室の中や家庭の中だけでは必ずしも十分ではないでしょう。日本の子供たちにも、著作権の世界には多様な生態系があること、したがって、何もかもが禁止ばかりではないことを是非教えてほしいと思います。

例えば、ライセンスが付いている著作物なら自由に利用してもいいこと、自由に利用できる作品ならどんな創作や利用の可能性があるのかということについても、一緒に教育してくれれば、子供たちにも創作や発表の喜びをもっと教えられるのではないかと考えたりします。そういう、積極的に創作に取り組む子供たちを育てることが、ひいては、日本の政府が目標にする、「一億総クリエイター」や「コンテンツ立国」につながっていくのではないでしょうか。

## †強制許諾制度とその課題

このように、今の柔軟性に欠ける著作権制度の枠組みの中では、ライセンスの重要性はとても高いものです。しかし、ライセンスは、興味のある権利者が採用しない限り広がっていかない、という意味で、限界があることも事実です。

そこで、どんなに難しくても、長期的には、著作権法制度はどうあるべきなのか、を考えて、仮に変えたほうがいいというコンセンサスができれば、著作権法そのものを変える努力をしていくことが必要なのだと考えています。これは、もちろん、ベルヌ条約をはじめとする国際条約の制約を考えれば、決して簡単なことではなく、長い時間のかかる作業ですが、諦めてはいけないのです。

そして、その際に重要なのは、結局、情報は本来、どこまで自由であるべきなのか、また、文化の発展はどうやって支えるべきなのか、ということでしょう。この問題を考える上で、とても興味深い議論が米国で行われた時期がありました。

米国で二〇〇一年から二〇〇五年頃に、何人かの学者が同時に、「著作権を全部なくすのはよくないが、許諾は必要なく報酬だけを還元する、いわゆる強制許諾制度にしたらいい」という試論を展開したことがあります。誰もが自由に使えるけれど、使った分だけお金を払うという仕組みにしたら、ネットにおけるデジタル技術の急速な発展による社会の進歩と権利者の経済的なインセンティブの保護が両立するのではないか、というわけです。しかし、一見とてもよく思えるこのモデルにも、難しい課題はあります。

例えば、ハーヴァード・ロー・スクールのウィリアム・フィッシャー教授が *Promise to Keep* という本で著作物利用の対価を「税金制（一律定額制）」にしようと提案しています。例えば、ネットにつながっている人はすべて、一人一カ月、一定の金額を払う。その代わり、コンテンツは許諾も何も必要なく使いたい放題というルールにする。ダウンロードだけではなく、リミックスも可能にする。そうやって国民から広く集めたお金を、誰の作品が全部で何回使われたかで頭割りにして、権利者全員に配ったらどうか、という考えです。そうすれば、利用ごとに権利者に許諾を取るというコストは取り払われるので、利用が急速に進むし、クリエイターの側も、きちんとリターンがもらえる、というわけです。

しかし、この構想も、少し考えるといろいろな問題があります。まず、条約上、強制許諾制度の適用範囲には制約があります。また、実際の制度設計を考えてみても、皆から徴収する価格をいくらにするのかは難問です。価格設定を市場が決めるならともかく、誰かがトップダウンで決めるのは難しい。また、権利者にどう分配するのかを決めるのがとても難しいという問題もあります。集まったお金を分配するためには誰が何を使ったかをモニターしなければならず、プライバシーの問題もありますし、分配するためには権利者データベースを作らなければなりませんが、これもまた膨大なコストがかかるからです。また、一日一〇分しかネットにつながらない人と、一日一〇時間ネットにつながっている人が同じ値段では不平等だという批判もありました。

そこで、利用時間に比例して従量課金にしたらどうか、という意見もありました。またEFF（電子フロンティア財団）のフレッド・フォン・ローマン氏は、税金のように皆から一律に徴収するのではなく、ネット接続を提供しているブロードバンド業者がユーザーから利用料を徴収して権利者に払う仕組みはどうかと提案しています。利用者は、ブロードバンド業者にお金を払っている限りコンテンツを自由に使える。ブロードバンド業者は権利者にお金を払う義務がある。そうなれば、ブロードバンド業者が、市場メカニズムに沿って、適正な価格を考え出すのではないか、というモデルです。しかし、それでも、分配のためにデータベースが必要だという問題や、プライバシーの問題は避けて通れません。

これらは、ある程度お金は還流するけれど、利用に関する自由は確保できるようなモデルはどこかにないか、という議論だったわけですが、多くの（ある意味、しごくもっともな）批判を浴びて、具体的な改正議論には全く結びつかなかったわけです。

しかし、逆説的ですが、フィッシャー教授は、こういう難しい課題があるからこそ、著作権の「利用料」を払うのではなく、あえて、コンテンツ利用に対する「税金」を払う、という提案をしたわけです。例えば、健康保険というのは健康という万人に共通の福祉のために、その実現の費用を社会の中で共同で負担して、全員の健康を確保する仕組みです。健康な人でも、不健康な人でも、同じ保険料を払わなければならない。もちろん、不平等といえば不平等です。けれども、それは、健康が、人間が幸せに社会生活を送る上で最低限の福祉だから、社会全体で支えるべきだという政策判断の上に成り立っているわけです。

フィッシャー教授の提案は、ある意味、著作権法という文化の制度を、健康と同じように、社会全体で支えるもの、という位置づけにしていると見ることができるのです。これは、究極的には、健康に比べて、知識や文化はどれだけ大事なのか、という問題意識につながっていきます。そう考えると、非常に面白い哲学的な問題を示唆している提案だと見ることができるでしょう。

もう一つ、著作権改革論として米国で議論されていたのは、著作権の保護期間や保護内容をコンテンツの種類ごとに変えたらどうか、ということです。ハリウッド映画は保護期間が七〇年でも一〇〇年でもいいし、利用行為は何もかも禁止でもいいけれど、ソフトウェアは、例えば一〇年や二〇年に短くしてはどうか、という話もありました。また、科学論文は最初に出版する際だけ許諾が必要で、いったん公表されたらその後は自由に利用してよい、としてもその生態系は成り立つのではないか、などが議論されていました。つまり、それぞれコンテンツの生態系があまりに違うから、その生態系に合わせて著作権法を分化させよう、ということです。それによって、一つのルールを全部に無理やりあてはめることで生じている歪みを解消しようというのです。

けれども、これも実際にはいろいろ課題があります。例えば、ゲームのように「絵でもソフトウェアでもある」ものはどこに分類するかなど、分類が難しい著作物もあり、従来はなかった仕切りの紛争が生まれる、という点がマイナスとして指摘されていました。

これらの議論は、いずれも、なかなかすぐには実現しないものですが、今の制度を一度すべて忘れて、何が最適かを考えようという問題意識において、とても興味深いものがあります。それを突き詰めていくことで、文化とは何か、インセンティブとは何か、いろんな形の情報に対して最適な法制度は何か、ということを問い直すことになるのです。

## †未来の著作権制度は登録を

今の著作権法制度を考えれば考えるほど、究極的には、情報は本来どこまで自由であるべきか、作品を作り出しただけで、権利者に自動的に権利が与えられるということがあらゆる著作物についての既定のルールでよいのか、ということを、どこかで問い直さなければならないのだと感じます。

最終的には、自分の権利を守ってほしい人だけが著作権を登録し、その場合にだけ今のような強い権利が与えられるようにするのがいいと個人的には思っています。守ってくれなくてもいいという人のものは、基本的に自由に使えるようにしたほうがいい。他の知的財産権、例えば、特許や商標や営業秘密も、権利を守ってほしい人が自らそれなりの努力をするのが保護の大前提になっています。というのも、知的財産権を保護するということは、情報を利用する他の人の活動を制限することだからです。他人の活動を制限する権利を持つためには、それなりの努力を払ってしかるべきではないでしょうか。

今は、著作権に対する保護だけが知的財産権の中で非常に特殊です。創作者には、創作しただけで、他に何もしなくても強大な権利が無条件に与えられており、利用する側に権利者を探すコストも利用することのリスクも、すべての負荷がかかっている。法律全体のバランスから見て、そこはとてもゆがんでいます。

このゆがみを解消するためには、権利を守ってほしい人がアクションを起こすこと、具体的には権利者や作品の名前、保護期間などを登録することがとてもよい解決策になります。こうすれば、保護したい熱心な権利者は必ず登録をするでしょうし、逆に、保護してもらうことに興味のない人は登録をしないでしょう。こうして、金銭的な収入にインセンティブを求める権利者や、他人に勝手に使ってほしくないと考えている権利者のみを守りつつ、自由に使ってもらってよいと考える人の作品をより社会で循環させる、ということが可能になると思うのです。また、権利者を探すコストも激減します。

このような制度は、特許法などではすでに採用されています。その結果として、そもそも何を特許として出願するかをすべての企業が選択していますし、特許を出願しても、あまり重要ではない権利については、権利を維持するためのお金を払わず、途中で権利を消滅させてしまう権利者もたくさんいます。そのことによって、重要な技術に対する権利だけが維持され、そうでもない技術は自由になっていくのです。同じことが著作権法の世界でも実現したらどんなにいいでしょうか。

## †禁止し合う社会か、許し合う社会か

どこまで柔軟な著作権制度にするか、という問題は、別の角度から見れば、どこまでお互いの作品の利用を禁止し合う社会にするのか、それとも、許し合う社会にするのか、という問いなのかもしれません。すべての創作者は、もちろん、自分が創作した作品との関

係では権利者ですが、それ以外の、世の中に存在する圧倒的多数の作品については、利用者の立場でもあるわけです。そして、自分の作品にも、他人の作品にも同じルールが適用されるのだとすれば、自分の作品を守ろうとして囲い込むことは、すなわち、自分が他人の作品を利用できるチャンスを放棄することにつながっていくのです。

そうであるならば、多くの情報を使って自分や他人の生活を豊かにするために、自分の作品も一定の場合には他人が使うことを許す、という社会のほうが、長い目で見たときに、よりよい社会といえるのではないでしょうか。

著作権制度の中で、多様な著作物の生態系が存在することを許し、また、多様なインセンティブを持つ人が異なるアプローチで著作物を利用することを許す設計にする、ということが、これからの著作権のあり方ではないかと思っています。そこにたどり着く道筋はまだ見えませんが、それを皆さんと一緒に考え、諦めずに追求していくことが、きっと明るい未来につながっていくと信じたいと思います。

# あとがき

私が著作権法の世界と初めて本格的に向き合ったのは、大学四年生で知的財産法の講義を受講したときでした。情報は必ずこれから人々の生活を変え、社会を変えていくだろう、と思っていました。そうなれば、情報を扱う知的財産法は、いわば第二の民法のように、人々にとって身近なものになるだろう、そして、その法律内容も、技術の変化とともに急激に変わっていくだろう、いや、変わっていかざるをえないだろう、と漠然と思っていました。

もともと、高校生の頃から、これからの社会でコンピュータの影響力はどんどん大きくなって、否が応にも人間の生活を変えていくだろうと直感的に思っていました。そして、真剣に（自分の適性はさておいて）コンピュータの開発をしてみたいと憧れていた時期もありました。いろんなご縁があって法学部に進むことになってからも、自分の中にこんな技術への憧れが眠っていたのもあったのかもしれません。

こんな、半ば思い込みのような強い興味を持って知的財産法の世界に飛び込んだ私でしたが、その後、日本で三年強の実務経験を経て、スタンフォード・ロー・スクールへ留学したことが、この本の原点になっているともいえます。留学した当時は二〇〇一年、この本でもご紹介しているようなダイナミックな著作権に関する動きや事件が米国で次々と起こり、学者も弁護士も裁判官も、そしてビジネス界の人たちも、多くの論文を書き、講演を行い、情報交換をしていて、その熱気たるや、凄まじいものがありました。日本では、当時はまだ比較的平和なインターネットと著作権の議論しかなされていなかったのに比べると、良くも悪くも激動の時代をくぐり抜けている米国では、表現の自由、イノベーションのあり方、知へのアクセスなどの哲学的な問題から、具体的な対処論まで、多面的な議論が日に日に深みを増している感じがしました。

そんな熱気を肌で感じつつ、当初予定された一年間の修士課程の留学生活を終えたとき、私の正直な気持ちは、本当に深遠なデジタル著作権の世界の入り口を覗いただけで終わってしまったなぁ、というものでした。その奥にさらに面白そうな世界があるのに、その存在を知っただけで、中身を見ることなく立ち去らなければならないことに、とても後ろ髪を引かれる思いがしました。そんなこんなが積み重なり、気がつけば、当初一年だった予定のスタンフォード・ロー・スクールでの留学生活は、四年に及んでいました。こんな私の我儘を許してくれた森・濱田松本法律事務所の懐の深さには、感謝してもしきれません。

この留学期間は、米国の学際研究的な手法に影響されて、法と経済学、法と技術、法と社会学、などのいろいろな視点を勉強しながら、デジタル著作権はこれからどこへ行くのだろう、と毎日考えていました。青く平和な空とは裏腹に、なかなかお互い歩み寄れないようにも見える多数のプレイヤーが日々しのぎを削るデジタル著作権の世界を眺めつつ、この複雑なパズルを解く鍵は、最後には、マーケットなのか、それとも時間なのか、少なくとも法律ではないのではないか、と考えたりしました。指導教授であったローレンス・レッシグ教授は、私の拙い質問に対して、本当に短く、しかしとても鋭い答えで、様々な視点を提供してくださいました。この本でご紹介させていただいたたくさんの視点は、彼から与えられたものや、それに刺激を得たものも多く、この場を借りて御礼申し上げます。

二〇〇五年秋に日本に帰ってきて、再び、実務の現場で日々の業務に復帰しながら、留学前には行っていなかったクリエイティブ・コモンズのNPO活動を始めたり、文化庁著作権課の研究会やワーキングチームなどの末席に加えていただいたりする中で、さらに多くの方々との出会いがありました。そんな活動を通じて、私の中で次第に、この本でご紹介したような考えがまとまり、形になっていきました。特に、科学と著作権の分野では大久保公策先生、高木利久先生に多くのご示唆をいただきました。また、二〇一〇年に東京大学情報学環教育部で渡邊智暁さんと担当させていただいたデジタル著作権の講義内容や、情報知識学会、日本知財学会などの場での発表内容も、この本の基礎となりました。

　この本が出版される二〇一〇年という年は、電子書籍が世間の話題を席巻し、二〇〇九年の著作権の大改正のあと、いわゆる日本版フェア・ユースの導入をめぐって議論が本格化し、民主党政権下での日本のイノベーションのあり方や科学技術政策のあり方について、事業仕分けなども含めて、世間の議論を呼んだ年です。そのような動きの激しい時だからこそ、著作権をどう考えるかについて、私なりの考えをまとめてみたい、そのことによって、どんな形であれ、少しでも著作権を考える皆様のお役に立てれば、と思うに至ったのです。著作権の世界には、いろいろな立場からこの複雑なパズルに取り組む方たちがいて、中には私の意見にとても批判的な感想をお持ちになる方もいらっしゃるでしょう。しかし、私が一つの考え方を提示することでさらに議論が深まるのだとしたら、とても幸いなことだと考えています。

　振り返ると、私が知的財産法に興味を持つ直接のきっかけを与えて下さり、大学を卒業して弁護士の仕事を始めてからも、折りにふれて、大きな視点から常に親身にアドバイスを下さったのは、大学の恩師の中山信弘先生でした。中山先生は、私に対して、「人間にとって、社会にとって、情報とは何か、どうあるべきか、という問いをいつも心にもって」知的財産法と向き合っていくことが最も大切だ、とアドバイスしてくださいました。

それは、これからも私を導く指針となるであろうと思います。ここに感謝申し上げます。
この本の最初のきっかけを与えてくださったのは、福田恭子さんでした。彼女が最初にお声をかけてくださらなかったら、この本はなかったでしょう。しかし、最初にお声をかけていただいてから、出版まで、実に三年以上が経過してしまいました。その間、折りにふれ、優しく、かつプラクティカルにアドバイスを下さった福田さん、そして、その後、この本の編集を引き受けてくださり、何度も挫折しそうになった私を常に激励してくださった筑摩書房の北村善洋さん、どうもありがとうございます。また、この本の一部は、二〇一〇年七月に出版された『ブックビジネス2.0』に収録した内容をふくらませて掲載したものです。そのことを快くご諒解くださった仲俣暁生さん、実業之日本社の宮田和樹さんに感謝申し上げます。そして、細かい校正作業を手伝ってくださった中村浩子さん、氏原亜弓さん、そして、執筆中、温かく見守り一番近くで支えてくれた夫、応援してくれた家族、そして時に無茶をする私のお腹の中ですくすく育っているまだ見ぬわが子に感謝しつつ、筆をおきたいと思います。

野口祐子

## 終章


野口祐子「多様化するコンテンツと著作権・ライセンス」『ブックビジネス2.0――ウェブ時代の新しい本の生態系』（実業之日本社、2010）

Yochai Benkler, *THE Wealth of Networks: How Social Production Transforms Markets and Freedom* (Yale University Press, 2006)

James Boyle, *The Public Domain: Enclosing The Commons of the Mind* (Yale University Press, 2008)

William W. Fisher, *Promises to Keep: Technology, Law, and the Future of Entertainment,* (Stanford University Press, 2004)

Neil W. Netanel, *Impose a Noncommercial Use Levy to Allow Free Peer-to-Peer File Sharing,* 17 Harv. J. Law & Tech. 1 (2003)

著作権法令研究会・通商産業省知的財産政策室編『著作権法・不正競争防止法改正解説』(有斐閣、1999)
Lawrence Lessig, *Code: And Other Laws of Cyberspace, Version 2.0* (Basic Books, 2006)(翻訳は、ローレンス・レッシグ『CODE VERSION 2.0』翔泳社、2007)

## 第五章

大阪高判平成6年2月25日判例時報1500号180頁(数学論文野川グループ事件控訴審判決)
大阪地判昭和54年9月25日判例タイムズ397号152頁(発光ダイオード論文事件第1審判決)
大久保公策「インターネット時代の公的科学の知財戦略」(http://lifesciencedb.jp/cc/?p=219)
大久保公策他「生命科学データベース統合に関する調査研究」(http://lifesciencedb.jp/sciencepolicy/report/200510102007rr.pdf)

## 第六章

東京高判平成14年2月18日判例時報1786号136頁(雪月花事件控訴審判決)
文化審議会著作権分科会法制問題小委員会「権利制限の一般規定に関する中間まとめ」(http://www.bunka.go.jp/chosakuken/singikai/housei/h22_shiho_05/pdf/sanko_ver02.pdf)
田村善之「知的財産法学の新たな潮流——プロセス志向の知的財産法学の展望」ジュリスト1405号22頁(2010)
野口祐子「多様化する情報流通と著作権制度——クリエイティブ・コモンズの試み」『ソフトロー研究叢書第4巻　知的財産とソフトロー』(有斐閣、2010)
Lawrence Lessig, *CC in Review: Lawrence Lessig on How it All Begun,* (http://creativecommons.org/weblog/entry/5668)
Giorgos Cheliotis et al., *Taking Stock of the Creative Commons Experiment Monitoring the Use of Creative Commons Licenses and Evaluating Its Implications for the Future of Creative Commons and for Copyright Law,* (http://web.si.umich.edu/tprc/papers/2007/805/CreateCommExp.pdf)
デビッド・リカード『経済学および課税の原理(上)』(岩波文庫、1987)
*Campbell v. Acuff-Rose Music, Inc.*, 510 U.S, 569 (1994)

**第三章**

*Sony Corp. v. Universal City Studios*, 464 U.S. 417（1984）
*A&M Records, Inc. et al. v. Napster, Inc.*, 239 F. 3d. 1004（9th Cir., 2001）.
*A&M Records, Inc. v, Napster, Inc.*, 114 F. Supp 2d. 896（N.D. Cal., 2000）.
*MGM Studios Inc. v. Grokster, Ltd.*, 125 S. Ct. 2764, 2781（U.S., 2005）
最判昭和63年3月15日民集42巻3号199頁（クラブ・キャッツアイ事件最高裁判決）
東京地判平成15年1月29日判例タイムズ1113号113頁（ファイルローグ事件第一審中間判決）
京都地判平成18年12月13日判例タイムズ1229号105頁（Winny事件第一審判決）
大阪高判平成21年10月8日季刊刑事弁護61号183頁（Winny事件控訴審判決）
知財高判平成21年1月27日（ロクラク事件控訴審判決）（http://www.courts.go.jp/search/jhsp0030?action_id=dspDetail&hanreiSrchKbn=07&hanreiNo=37223&hanreiKbn=06）

**第四章**

Intellectual Property and the National Information Infrastructure, *The Report of the Working Group on Intellectual Property Rights*, Washington D.C., September（1995）
Pamela Samuelson, *The U.S. Digital Agenda at WIPO*, 37 Va. J. Int'l L. 369（1997）
Pamela Samuelson, *Intellectual property and the digital economy: why the anti-circumvention regulations need to be revised*, 14 Berkeley Tech. L. J. 519（1999）
Neil W. Netanel, *Why Has Copyright Expanded? Analysis and Critique, New Directions in Copyright Law*, Vol 6 (edited by Fiona Macmillan ed.), Edward Elgar（2008）
岡本薫「著作権保護の国際的動向について」『コピライト』, 1997年4月号
Yuko Noguchi, *Toward Better-balanced Copyright Regulations in the Digital and Network Era*, University of San Francisco IP Law Bulletin, Vol. XI（2007）
野口祐子「デジタル時代の著作権制度と表現の自由（上）（下）」『NBL』777号、778号、（2004）

# 【参考文献】

本文中に掲載しなかった文献のうち、主要なものだけを掲載しています。


## 第一章

中山信弘『著作権法』(有斐閣、2007)

文化庁長官官房著作権課「裁定の手引き～権利者が不明な著作物等の利用について～」(2010)(http://www.bunka.go.jp/1tyosaku/c-l/pdf/tebiki.pdf)

田中久徳「国立国会図書館の資料デジタル化 ── 課題と展望 ── 」(2008)(http://daf.lib.keio.ac.jp/index.php/jpn/content/download/422/2919/file/daf_20081118_tanaka.pdf)

東京地判平成7年12月18日判例時報1567号126頁(ラストメッセージin最終号事件第一審判決)

最判平成12年9月7日民集54巻7号2481頁(印刷用書体事件最高裁判決)

## 第二章

作花文雄『詳解著作権法(第三版)』(ぎょうせい、2004)

白田秀彰『コピーライトの史的展開』(信山社出版、1998)

Mark Lemley, *Dealing with Overlapping Copyrights on the Internet*, 22 Dayton L. Rev. 547 (1997)

Jessica Litman, *Revising Copyright Law for the Information Age*, 75 Oregon L. Rev. 19 (1996)

池村聡『著作権法コンメンタール〈別冊〉平成21年改正解説』(勁草書房、2010)

Lawrence Lessig, *Remix: Making Art and Commerce Thrive in the Hybrid Economy* (The Penguin Press HC, 2008)(翻訳は、ローレンス・レッシグ『REMIX ── ハイブリッド経済で栄える文化と商業のあり方』翔泳社、2010)

*MAI Systems Corp. v. Peak Computer, Inc.*, 991 F. 2d 511, 519 (9th Cir. 1993)

東京地判平成12年5月16日判例時報1751号128頁(スターデジオ事件第一審判決)

ちくま新書
867

# デジタル時《じ》代《だい》の著作権《ちょさくけん》

二〇一〇年一〇月一〇日 第一刷発行

著者 野口祐子(のぐち・ゆうこ)
発行者 菊池明郎
発行所 株式会社 筑摩書房
東京都台東区蔵前二-五-三 郵便番号一一一-八七五五
振替〇〇一六〇-八-四一二三
装幀者 間村俊一
印刷・製本 株式会社 精興社

乱丁・落丁本の場合は、左記宛にご送付下さい。
送料小社負担でお取り替えいたします。
ご注文・お問い合わせも左記へお願いいたします。
〒三三一-八五〇七 さいたま市北区櫛引町二-六〇四
筑摩書房サービスセンター
電話〇四八-六五一-〇〇五三

ISBN978-4-480-06573-5 C0200

## ちくま新書

294 デモクラシーの論じ方 ――論争の政治　杉田敦
民主主義、民主的な政治とは何なのか。あまりに基本的と思える問題について、一から考え、デモクラシーにおける対立点や問題点を明らかにする、対話形式の試み。

465 憲法と平和を問いなおす　長谷部恭男
情緒論に陥りがちな改憲論議と冷静に向きあうには、そもそも何のための憲法かを問う視点が欠かせない。この国のかたちを決する大問題を考え抜く手がかりを示す。

535 日本の「ミドルパワー」外交 ――戦後日本の選択と構想　添谷芳秀
「平和国家」と「大国日本」という二つのイメージに引き裂かれてきた戦後外交をミドルパワー外交と積極的に位置付け直し、日本外交の潜在力を掘り起こす。

571 騙すアメリカ　騙される日本　原田武夫
同盟国アメリカが、日本の国富を吸い取るシステムを密かにつくっていたという驚愕の事実！「改革」という幻想を精算し、騙されない日本をつくるための道筋を示す。

573 国際政治の見方 ――9・11後の日本外交　猪口孝
冷戦の終焉、9・11事件は、国際政治をどのように変えたのか。日本外交は以前と同じでよいのだろうか。激動する世界と日本外交の見方が変わる、現代人必読の書。

621 中国・アジア・日本 ――大国化する「巨龍」は脅威か　天児慧
大国化する中国とどうつき合うかという問題は、日本にとって中長期的な課題である。中国のゆくえを冷静に見極め、岐路に立つアジア外交について大胆に提言する。

655 政治学の名著30　佐々木毅
古代から現代まで、著者がその政治観を形成する上でたえず傍らにあった名著の数々。選ばれた30冊は混迷を深める時代にこそますます重みを持ち、輝きを放つ。